# Georg

CW00525688

Por Unite

**https://campsite.bio/unitedlibrary**

# Índice

# Descargo de responsabilidad

Este libro biográfico es una obra de no ficción basada en la vida pública de una persona famosa. El autor ha utilizado información de dominio público para crear esta obra. Aunque el autor ha investigado a fondo el tema y ha intentado describirlo con precisión, no pretende ser un estudio exhaustivo del mismo. Las opiniones expresadas en este libro son exclusivamente las del autor y no reflejan necesariamente las de ninguna organización relacionada con el tema. Este libro no debe tomarse como un aval, asesoramiento legal o cualquier otra forma de consejo profesional. Este libro se ha escrito únicamente con fines de entretenimiento.

# Introducción

Adéntrese en la vida y el legado literario de uno de los escritores más influyentes del siglo XX, Eric Arthur Blair, conocido en todo el mundo como George Orwell. En el libro de George Orwell, se invita a los lectores a explorar la fascinante trayectoria de un hombre cuyos escritos se convertirían en sinónimo de crítica social, perspicacia política y oposición acérrima al totalitarismo.

Desde sus primeros años en la India británica hasta su época como policía imperial en Birmania, las diversas experiencias de Orwell sentaron las bases de sus apasionantes relatos. Descubra los orígenes de su seudónimo, George Orwell, inspirado en el pintoresco río Orwell. Siga su trayectoria como escritor novel en Londres, trabajando como profesor y librero, al tiempo que contribuía al periodismo que más tarde daría forma a su carrera literaria.

Las obras de Orwell, incluida la obra maestra alegórica "Rebelión en la granja" y la escalofriante novela distópica "Diecinueve ochenta y cuatro", siguen resonando entre los lectores de todo el mundo. Explore sus apasionantes obras de no ficción, como "El camino a Wigan Pier" y "Homenaje a Cataluña", que ofrecen una conmovedora visión de la vida de la clase obrera y de la Guerra Civil española.

Descubra el impacto que han tenido en la literatura y en el léxico moderno conceptos tan sugerentes como "Gran Hermano", "Policía del Pensamiento" y "doblepensar". Profundice en su paso por la BBC durante la Segunda Guerra Mundial y en la publicación de "Rebelión en la granja", que le catapultó a la fama.

Este libro es un cautivador viaje a través de la vida y la obra de un escritor cuyas ideas y palabras siguen moldeando el discurso político, la literatura y nuestra comprensión de la condición humana. Explore al hombre que se esconde tras las poderosas narraciones que han dejado una huella indeleble en el mundo.

# George Orwell

Eric Arthur Blair (25 de junio de 1903 - 21 de enero de 1950), más conocido por su seudónimo George Orwell, fue un novelista, ensayista, periodista y crítico inglés. Su obra se caracteriza por una prosa lúcida, la crítica social, la oposición al totalitarismo y el apoyo al socialismo democrático.

Orwell produjo crítica literaria, poesía, ficción y periodismo polémico. Es conocido por la novela alegórica *Rebelión en la granja* (1945) y la novela distópica *1984* (1949). Sus obras de no ficción, entre ellas *The Road to Wigan Pier* (1937), que documenta su experiencia de la vida obrera en el norte industrial de Inglaterra, y *Homage to Catalonia* (1938), relato de sus experiencias como soldado del bando republicano en la Guerra Civil española (1936-1939), son tan respetadas por la crítica como sus ensayos sobre política, literatura, lengua y cultura.

Nacido en la India, Blair creció y se educó en Inglaterra desde que tenía un año. Después de la escuela se convirtió en policía imperial en Birmania, antes de regresar a Suffolk, Inglaterra, donde comenzó su carrera de escritor como George Orwell, nombre inspirado en un lugar favorito, el río Orwell. Se ganaba la vida con ocasionales trabajos periodísticos, y también trabajó como profesor o librero mientras vivía en Londres. Desde finales de los años veinte hasta principios de los treinta, su éxito como escritor creció y se publicaron sus primeros libros. Fue herido luchando en la Guerra Civil española, lo que provocó su primer periodo de mala salud a su regreso a Inglaterra. Durante la Segunda Guerra Mundial trabajó como periodista y, entre 1941 y 1943, para la BBC. La publicación en 1945 de *Rebelión en la granja le* dio fama en vida. Durante los últimos años de su vida trabajó en *Mil novecientos ochenta y cuatro,* y se trasladó entre Jura, en Escocia, y Londres. Se publicó en junio de 1949, menos de un año antes de su muerte.

La obra de Orwell sigue influyendo en la cultura popular y en la cultura política, y el adjetivo "orwelliano" -que describe prácticas sociales totalitarias y autoritarias- forma parte de la lengua inglesa, al igual que muchos de sus neologismos, como "Gran Hermano", "Policía del Pensamiento", "Habitación 101", "Newspeak", "agujero de memoria", "doblepensar" y "crimen de pensamiento". En 2008, *The Times* clasificó a George Orwell en segundo lugar entre "Los 50 mejores escritores británicos desde 1945".

# Vida

### Primeros años

Eric Arthur Blair nació el 25 de junio de 1903 en Motihari, Bengala (India británica), en el seno de lo que él describe como una familia de "clase media-baja". Su tatarabuelo, Charles Blair, era un acaudalado caballero rural propietario de esclavos y dueño ausente de dos plantaciones jamaicanas; oriundo de Dorset, se casó con Lady Mary Fane, hija del 8º conde de Westmorland. Su abuelo, Thomas Richard Arthur Blair, era clérigo anglicano. El padre de Orwell fue Richard Walmesley Blair, que trabajó como subagente del opio en el Departamento del Opio del Servicio Civil Indio, supervisando la producción y el almacenamiento de opio para su venta a China. Su madre, Ida Mabel Blair *(de soltera* Limouzin), creció en Moulmein, Birmania, donde su padre, francés, se dedicaba a empresas especulativas. Eric tenía dos hermanas: Marjorie, cinco años mayor; y Avril, cinco años menor. Cuando Eric tenía un año, su madre se los llevó a él y a Marjorie a Inglaterra. En 2014 comenzaron las obras de restauración de la casa natal y solariega de Orwell en Motihari.

En 1904, Ida Blair se instaló con sus hijos en Henley-on-Thames, en Oxfordshire. Eric creció en compañía de su madre y sus hermanas y, aparte de una breve visita a mediados de 1907, no vio a su padre hasta 1912. A la edad de cinco años, Eric fue enviado como niño a una escuela de monjas en Henley-on-Thames, a la que también asistía Marjorie. Era un convento católico dirigido por monjas ursulinas francesas. Su madre quería que estudiara en un colegio público, pero su familia no podía pagar las tasas. Gracias a los contactos sociales del hermano de Ida Blair, Charles Limouzin, Blair consiguió una beca para la escuela St Cyprian's School, en Eastbourne, East Sussex. Llegó en septiembre de 1911 y estuvo interno en el colegio durante los cinco años siguientes, volviendo a casa sólo en vacaciones. Aunque no sabía nada de las tasas reducidas, "pronto reconoció que procedía de un hogar más pobre". Blair odiaba el colegio y muchos años después escribió un ensayo titulado "Such, Such Were the Joys", publicado póstumamente, basado en su estancia allí. En St Cyprian's, Blair conoció por primera vez a Cyril Connolly, que se convirtió en escritor y que, como editor de *Horizon*, publicó varios ensayos de Orwell.

Antes de la Primera Guerra Mundial, la familia se trasladó 3 km al sur, a Shiplake, Oxfordshire, donde Eric entabló amistad con la familia Buddicom, especialmente con su hija Jacintha. Cuando se conocieron, Eric estaba de cabeza en un campo. Cuando le preguntaron por qué, respondió: "Llamas más la atención si estás de cabeza que si estás de pie". Jacintha y Eric leían y escribían poesía, y soñaban con ser escritores famosos. Él decía que podría escribir un libro al estilo de *Una utopía moderna*, de H. G. Wells. Durante este periodo, también disfrutaba disparando, pescando y observando aves con el hermano y la hermana de Jacintha.

Durante su estancia en St Cyprian's, Blair escribió dos poemas que se publicaron en el *Henley and South Oxfordshire Standard*. Quedó segundo, por detrás de Connolly, en el Premio de Historia de Harrow, su trabajo fue elogiado por el examinador externo del colegio y obtuvo becas para Wellington y Eton. Pero la inclusión en la lista de becarios de Eton no garantizaba una plaza, y no hubo ninguna disponible inmediatamente para Blair. Decidió quedarse en St Cyprian's hasta diciembre de 1916, por si había una plaza disponible en Eton.

En enero, Blair ocupó la plaza en Wellington, donde pasó el trimestre de primavera. En mayo de 1917 obtuvo una plaza de King's Scholar en Eton. En esa época la familia vivía en Mall Chambers, Notting Hill Gate. Blair permaneció en Eton hasta diciembre de 1921, cuando se marchó a mitad de camino entre su 18º y 19º cumpleaños. Wellington era "bestial", dijo Blair a Jacintha, pero afirmó que estaba "interesado y feliz" en Eton. Su principal tutor fue A. S. F. Gow, miembro del Trinity College de Cambridge, que también le dio consejos más adelante en su carrera. Blair recibió brevemente clases de francés de Aldous Huxley. Steven Runciman, que estuvo en Eton con Blair, señaló que él y sus contemporáneos apreciaban el talento lingüístico de Huxley. Cyril Connolly siguió a Blair a Eton, pero como estaban en cursos distintos, no se relacionaron.

Los informes sobre el rendimiento académico de Blair sugieren que descuidó sus estudios, pero durante su estancia en Eton trabajó con Roger Mynors en la producción de una revista universitaria, *The Election Times*, se unió a la producción de otras publicaciones - College *Days* y *Bubble and Squeak*- y participó en el Eton Wall Game. Sus padres no podían permitirse enviarle a una universidad sin otra beca, y por sus malos resultados llegaron a la conclusión de que no podría conseguirla. Runciman observó que tenía una idea romántica de Oriente, y la familia decidió que Blair ingresara en la Policía Imperial, precursora del Servicio de Policía de la India. Para ello tuvo que aprobar un examen de ingreso. En diciembre de 1921 dejó Eton y viajó para reunirse con su padre jubilado, su madre y su hermana pequeña Avril, que ese mes se habían mudado al número 40 de Stradbroke Road, Southwold, Suffolk, la primera de sus cuatro casas en la ciudad. Blair se matriculó en una guardería llamada Craighurst, donde repasó clásicas, inglés e historia. Aprobó el examen de ingreso, quedando séptimo de los 26 candidatos que superaron el aprobado.

## Vigilancia policial en Birmania

La abuela materna de Blair vivía en Moulmein, por lo que eligió un destino en Birmania, entonces todavía provincia de la India británica. En octubre de 1922 se embarcó en el SS *Herefordshire* a través del Canal de Suez y Ceilán para unirse a la Policía Imperial India en Birmania. Un mes más tarde llegó a Rangún y se trasladó a la escuela de formación policial de Mandalay. El 29 de noviembre de 1922 fue nombrado superintendente de distrito adjunto (a prueba), con efecto a partir del 27 de noviembre y una paga de 525 rupias al mes. Tras un breve destino en Maymyo, la principal estación de montaña de Birmania, fue destinado al puesto fronterizo de Myaungmya, en el delta del Irrawaddy, a principios de 1924.

Trabajar como oficial de la policía imperial le dio una responsabilidad considerable mientras la mayoría de sus contemporáneos aún estaban en la universidad en Inglaterra. Cuando fue destinado a Twante, más al este del Delta, como oficial de subdivisión, era responsable de la seguridad de unas 200.000 personas. A finales de 1924, fue destinado a Syriam, más cerca de Rangún. En Syriam estaba la refinería de la Burmah Oil Company, "el terreno circundante era un yermo estéril, toda la vegetación había muerto a causa de los humos de dióxido de azufre que salían día y noche de las chimeneas de la refinería". Pero la ciudad estaba cerca de Rangún, un puerto cosmopolita, y Blair iba a la ciudad tan a menudo como podía, "para hojear en una librería; para comer comida bien cocinada; para alejarse de la aburrida rutina de la vida policial". En septiembre de 1925 fue a Insein, donde se encontraba la prisión de Insein, la segunda más grande de Birmania. En Insein mantuvo "largas conversaciones sobre todos los temas imaginables" con Elisa Maria Langford-Rae (que más tarde se casó con Kazi Lhendup Dorjee). Ella destacó su "sentido de la imparcialidad en los detalles más nimios". Para entonces, Blair había completado su formación y cobraba un sueldo mensual de 740 rupias, incluidas las dietas.

Blair recordó que se enfrentó a la hostilidad de los birmanos: "al final, las caras amarillas y burlonas de los jóvenes que me salían al encuentro en todas partes, los insultos que me lanzaban cuando estaba a una distancia prudencial, me crispaban los nervios". Recordaba que "estaba atrapado entre mi odio al imperio al que servía y mi rabia contra las pequeñas bestias malvadas que intentaban hacer imposible mi trabajo".

En Birmania, Blair adquirió fama de forastero. Pasaba gran parte de su tiempo solo, leyendo o dedicándose a actividades que no eran *suyas*, como asistir a las iglesias de la etnia Karen. Un colega, Roger Beadon, recordaba (en una grabación de 1969 para la BBC) que Blair aprendió rápido el idioma y que, antes de abandonar Birmania, "era capaz de hablar con fluidez con sacerdotes birmanos en un 'birmano muy altisonante'". Blair introdujo cambios en su aspecto en Birmania que se mantuvieron durante el resto de su vida, incluida la adopción de un bigote de lápiz. Emma Larkin escribe en la introducción de *Días birmanos:* "Durante su estancia en Birmania, adquirió un bigote similar a los que llevaban los oficiales de los regimientos británicos estacionados allí. [También se hizo algunos tatuajes; en cada nudillo tenía un pequeño círculo azul desordenado". Muchos birmanos que viven en zonas rurales siguen luciendo tatuajes como éste: se cree que protegen contra las balas y las mordeduras de serpiente".

En abril de 1926 se trasladó a Moulmein, donde vivía su abuela materna. A finales de ese año, fue destinado a Katha, en la Alta Birmania, donde contrajo el dengue en 1927. Con derecho a un permiso en Inglaterra ese año, se le permitió regresar en julio debido a su enfermedad. Mientras estaba de permiso en Inglaterra y de vacaciones con su familia en Cornualles en septiembre de 1927, se replanteó su vida. Decidido a no regresar a Birmania, dimitió de la Policía Imperial India para convertirse en escritor, con efecto a partir del 12 de marzo de 1928, tras cinco años y medio de servicio. Se basó en sus experiencias en la policía birmana para la novela *Burmese Days* (1934) y los ensayos "A Hanging" (1931) y "Shooting an Elephant" (1936).

## Londres y París

En Inglaterra, se instaló de nuevo en la casa familiar de Southwold, renovó amistades locales y asistió a una cena Old Etonian. Visitó a su antiguo tutor Gow en Cambridge para pedirle consejo sobre cómo convertirse en escritor. En 1927 se trasladó a Londres. Ruth Pitter, una conocida de la familia, le ayudó a encontrar alojamiento, y a finales de 1927 se había mudado a unas habitaciones en Portobello Road; una placa azul conmemora su residencia allí. La participación de Pitter en la mudanza "le habría dado una respetabilidad tranquilizadora a los ojos de la señora Blair". Pitter se interesó con simpatía por los escritos de Blair, señaló los puntos débiles de su poesía y le aconsejó que escribiera sobre lo que conocía. De hecho, decidió escribir sobre "ciertos aspectos del presente que se propuso conocer" y se aventuró en el East End de Londres, la primera de las salidas ocasionales que haría para descubrir por sí mismo el mundo de la pobreza y los marginados que lo habitan. Había encontrado un tema. Estas salidas, exploraciones, expediciones, viajes o inmersiones se realizaron de forma intermitente a lo largo de cinco años.

A imitación de Jack London, cuyos escritos admiraba (en particular, *El pueblo del abismo*), Blair empezó a explorar las zonas más pobres de Londres. En su primera salida, se dirigió a Limehouse Causeway y pasó su primera noche en una pensión común, posiblemente el "kip" de George Levy. Durante un tiempo se convirtió en un "nativo" en su propio país, vistiéndose como un vagabundo, adoptando el nombre de P.S. Burton y sin hacer concesiones a las *costumbres* y expectativas de la clase media; registró sus experiencias de la vida baja para utilizarlas en "The Spike", su primer ensayo publicado en inglés, y en la segunda mitad de su primer libro, *Down and Out in Paris and London* (1933).

A principios de 1928 se traslada a París. Vive en la rue du Pot de Fer, un barrio obrero del distrito 5. Su tía Nellie Limouzin también vive en París. Su tía Nellie Limouzin también vivía en París y le prestaba apoyo social y, cuando era necesario, económico. Empezó a escribir novelas, incluida una primera versión de *Días birmanos*, pero no se conserva nada más de esa época. Tuvo más éxito como periodista y publicó artículos en *Monde*, una revista político-literaria dirigida por Henri Barbusse (su primer artículo como escritor profesional, "La Censure en Angleterre", apareció en esa revista el 6 de octubre de 1928); *G. K.'s Weekly*, donde su primer artículo aparecido en Inglaterra, "A Farthing Newspaper", se imprimió el 29 de diciembre de 1928; y *Le Progrès Civique* (fundado por la coalición de izquierdas Le Cartel des Gauches). Tres artículos aparecieron en semanas sucesivas en Le *Progrès Civique*: sobre el desempleo, un día en la vida de un vagabundo y los mendigos de Londres, respectivamente.

"En una u otra de sus formas destructivas, la pobreza se convertiría en su tema obsesivo: en el centro de casi todo lo que escribió hasta *Homenaje a Cataluña*".

En febrero de 1929 cae gravemente enfermo y es ingresado en el Hôpital Cochin, en el distrito 14, un hospital gratuito donde se formaban estudiantes de medicina. Sus experiencias allí fueron la base de su ensayo "Cómo mueren los pobres", publicado en 1946. Decidió no identificar el hospital y, de hecho, fue deliberadamente engañoso sobre su ubicación. Poco después le robaron todo el dinero de su alojamiento. Ya fuera por necesidad o para reunir material, realizó trabajos serviles, como fregar platos en un hotel de moda de la rue de Rivoli, que más tarde describió en *Down and Out in Paris and London*. En agosto de 1929, envió un ejemplar de "The Spike" a la revista *New Adelphi de* John Middleton Murry en Londres. La revista estaba dirigida por Max Plowman y Sir Richard Rees, y Plowman aceptó la obra para su publicación.

### Southwold

En diciembre de 1929, tras casi dos años en París, Blair regresó a Inglaterra y se fue directamente a casa de sus padres en Southwold, una localidad costera de Suffolk, que siguió siendo su base durante los cinco años siguientes. La familia estaba bien establecida en el pueblo, y su hermana Avril regentaba allí una casa de té.

Conoció a muchos lugareños, entre ellos a Brenda Salkeld, la hija del clérigo que trabajaba como profesora de gimnasia en el colegio femenino St Felix de la ciudad. Aunque Salkeld rechazó su oferta de matrimonio, siguió siendo su amiga y corresponsal durante muchos años. También reanudó la amistad con amigos más antiguos, como Dennis Collings, cuya novia, Eleanor Jacques, también desempeñaría un papel en su vida.

A principios de 1930 se quedó brevemente en Bramley, Leeds, con su hermana Marjorie y su marido Humphrey Dakin, que era tan poco apreciativo con Blair como cuando se conocieron de niños. Blair escribía críticas para *Adelphi* y daba clases particulares a un niño discapacitado en Southwold. Luego se convirtió en tutor de tres hermanos pequeños, uno de los cuales, Richard Peters, llegó a ser más tarde un distinguido académico. "Su historia en estos años está marcada por dualidades y contrastes. Está Blair llevando una vida respetable y exteriormente tranquila en casa de sus padres en Southwold, escribiendo; luego, en contraste, está Blair como Burton (el nombre que usaba en sus episodios de bajón) en busca de experiencia en los kips y los spikes, en el East End, en la carretera y en los campos de lúpulo de Kent". Iba a pintar y a bañarse a la playa, y allí conoció a Mabel y Francis Fierz, que más tarde influirían en su carrera. Durante el año siguiente los visitó en Londres, y se reunió a menudo con su amigo Max Plowman.

También se alojaba a menudo en casa de Ruth Pitter y Richard Rees, donde podía "cambiarse" para sus esporádicas expediciones de senderismo. Uno de sus empleos era el trabajo doméstico en un alojamiento por media corona (dos chelines y seis peniques, o un octavo de libra) al día.

Blair colabora ahora regularmente con *Adelphi,* y "A Hanging" aparece en agosto de 1931. De agosto a septiembre de 1931 prosiguió su exploración de la pobreza y, al igual que la protagonista de *A Clergyman's Daughter, siguió la* tradición del East End de trabajar en los campos de lúpulo de Kent. Llevó un diario sobre sus experiencias allí. Después se alojó en el kip de Tooley Street, pero no pudo soportarlo mucho tiempo y, con ayuda económica de sus padres, se trasladó a Windsor Street, donde permaneció hasta Navidad. "Hop Picking", de Eric Blair, apareció en el número de octubre de 1931 de *New Statesman*, en cuya redacción figuraba su viejo amigo Cyril Connolly. Mabel Fierz le puso en contacto con Leonard Moore, que se convirtió en su agente literario en abril de 1932.

En esa época, Jonathan Cape rechazó *A Scullion's Diary*, la primera versión de *Down and Out*. Aconsejado por Richard Rees, lo ofreció a Faber and Faber, pero su director editorial, T. S. Eliot, también lo rechazó. Blair terminó el año haciendo que le detuvieran deliberadamente para pasar las Navidades en la cárcel, pero cuando le detuvieron y le llevaron a la comisaría de Bethnal Green, en el East End de Londres, las autoridades no consideraron que su comportamiento de "borracho y alborotador" fuera motivo de encarcelamiento y, tras dos días en una celda, regresó a su casa de Southwold.

# Carrera docente

En abril de 1932, Blair se convirtió en profesor de The Hawthorns High School, una escuela para chicos situada en Hayes, al oeste de Londres. Se trataba de una escuela pequeña que ofrecía enseñanza privada a los hijos de comerciantes y tenderos de la zona, y sólo contaba con catorce o dieciséis alumnos de entre diez y dieciséis años, además de otro maestro. Durante su estancia en la escuela entabló amistad con el coadjutor de la iglesia parroquial local y participó en sus actividades. A finales de junio de 1932, Moore le dijo a Blair que Victor Gollancz estaba dispuesto a publicar *A Scullion's Diary* por un adelanto de 40 libras, a través de su recién fundada editorial, Victor Gollancz Ltd, que era un punto de venta de obras radicales y socialistas.

Al final del curso de verano de 1932, Blair regresó a Southwold, donde sus padres habían utilizado un legado para comprar su propia casa. Blair y su hermana Avril pasaron las vacaciones haciendo habitable la casa mientras él también trabajaba en *Días birmanos*. También pasaba tiempo con Eleanor Jacques, pero el apego de ésta a Dennis Collings seguía siendo un obstáculo para sus esperanzas de una relación más seria.

"Clink", un ensayo que describe su intento fallido de ir a la cárcel, apareció en el número de agosto de 1932 de *Adelphi*. Volvió a dar clases en Hayes y se preparó para la publicación de su libro, ahora conocido como *Down and Out in Paris and London*. Deseaba publicarlo con otro nombre para evitar que su familia se sintiera avergonzada por su época de "vagabundo". En una carta a Moore (fechada el 15 de noviembre de 1932), deja la elección del seudónimo en manos de Moore y de Gollancz. Cuatro días más tarde, escribió a Moore sugiriéndole los seudónimos de P. S. Burton (nombre que utilizaba cuando vagabundeaba), Kenneth Miles, George Orwell y H. Lewis Allways. Finalmente adoptó el seudónimo George Orwell porque "es un buen nombre inglés redondo". El nombre de George se inspiró en el santo patrón de Inglaterra, y el de Orwell en el río Orwell, en Suffolk, que era uno de los lugares favoritos de Orwell.

*Down and Out in Paris and London* fue publicada por Victor Gollancz en Londres el 9 de enero de 1933 y recibió críticas favorables, con Cecil Day-Lewis elogiando la "claridad y buen sentido" de Orwell, y *The Times Literary Supplement* comparando los excéntricos personajes de Orwell con los de Dickens. *Down and Out tuvo un* éxito modesto y fue publicado por Harper & Brothers en Nueva York.

A mediados de 1933, Blair dejó Hawthorns para convertirse en profesor del Frays College, en Uxbridge, al oeste de Londres. Se trataba de un centro mucho más grande, con 200 alumnos y todo el personal necesario. Adquirió una motocicleta y emprendió viajes por la campiña de los alrededores. En una de estas expediciones se empapó y cogió un resfriado que se convirtió en neumonía. Fue trasladado a un hospital de Uxbridge, donde durante un tiempo se creyó que su vida corría peligro. Cuando le dieron el alta en enero de 1934, regresó a Southwold para convalecer y, apoyado por sus padres, nunca volvió a la enseñanza.

Se sintió decepcionado cuando Gollancz rechazó *Burmese Days*, principalmente por posibles demandas por difamación, pero Harper estaba dispuesta a publicarla en Estados Unidos. Mientras tanto, Blair empezó a trabajar en la novela *A Clergyman's Daughter*, basada en su vida como profesor y en la vida en Southwold. Eleanor Jacques se había casado y se había ido a Singapur, y Brenda Salkeld se había marchado a Irlanda, por lo que Blair estaba relativamente aislado en Southwold, trabajando en los huertos, paseando solo y pasando tiempo con su padre. Finalmente, en octubre, tras enviar *A Clergyman's Daughter* a Moore, se marchó a Londres para aceptar un trabajo que le había encontrado su tía Nellie Limouzin.

## Hampstead

Este trabajo era como ayudante a tiempo parcial en Booklovers' Corner, una librería de segunda mano de Hampstead regentada por Francis y Myfanwy Westrope, que eran amigos de Nellie Limouzin en el movimiento esperanto. Los Westrope eran amables y le proporcionaron un alojamiento confortable en Warwick Mansions, Pond Street. Compartía el trabajo con Jon Kimche, que también vivía con los Westropes. Blair trabajaba en la tienda por las tardes y tenía las mañanas libres para escribir y las noches para hacer vida social. Estas experiencias le sirvieron de telón de fondo para la novela *Keep the Aspidistra Flying* (1936). Además de los diversos invitados de los Westropes, pudo disfrutar de la compañía de Richard Rees y de los escritores *del Adelphi* y Mabel Fierz. Los Westropes y Kimche eran miembros del Partido Laborista Independiente, aunque en esta época Blair no era muy activo políticamente. Escribía para *el Adelphi* y preparaba para su publicación *A Clergyman's Daughter* y *Burmese Days*.

A principios de 1935 tuvo que mudarse de Warwick Mansions, y Mabel Fierz le encontró un piso en Parliament Hill. *A Clergyman's Daughter* se publicó el 11 de marzo de 1935. A principios de 1935 Blair conoció a su futura esposa, Eileen O'Shaughnessy, cuando su casera, Rosalind Obermeyer, que estudiaba un máster en psicología en el University College de Londres, invitó a algunas de sus compañeras de estudios a una fiesta. Una de estas estudiantes, Elizaveta Fen, biógrafa y futura traductora de Chéjov, recordó a Blair y a su amigo Richard Rees "tapados" junto a la chimenea, con aspecto, pensó, "apolillado y prematuramente envejecido". Por aquel entonces, Blair había empezado a escribir críticas para *The New English Weekly*.

En junio se publicó *Burmese Days* y la crítica positiva de Cyril Connolly en el *New Statesman* animó a Blair a restablecer el contacto con su viejo amigo. En agosto, se mudó a un piso, en el 50 de Lawford Road, Kentish Town, que compartía con Michael Sayers y Rayner Heppenstall. La relación era a veces incómoda y Blair y Heppenstall llegaron incluso a las manos, aunque siguieron siendo amigos y más tarde trabajaron juntos en emisiones de la BBC. Blair trabajaba ahora en *Keep the Aspidistra Flying,* y también intentó sin éxito escribir un serial para el *News Chronicle*. En octubre de 1935, sus compañeros de piso se habían mudado y Blair tenía dificultades para pagar el alquiler. Se quedó hasta finales de enero de 1936, cuando dejó de trabajar en Booklovers' Corner. En 1980, English Heritage honró a Orwell con una placa azul en su residencia de Kentish Town.

### El camino al muelle de Wigan

En esa época, Victor Gollancz sugirió a Orwell que pasara una breve temporada investigando las condiciones sociales del norte de Inglaterra, económicamente deprimido. Dos años antes, J. B. Priestley había escrito sobre Inglaterra al norte del Trent, despertando el interés por el reportaje. La Depresión también había dado a conocer al público lector a una serie de escritores de la clase obrera del norte de Inglaterra. Fue a uno de estos autores de clase obrera, Jack Hilton, a quien Orwell pidió consejo. Orwell había escrito a Hilton buscando alojamiento y pidiéndole recomendaciones sobre su ruta. Hilton no pudo proporcionarle alojamiento, pero le sugirió que viajara a Wigan en vez de a Rochdale, "porque allí están los colliers y son buena gente".

El 31 de enero de 1936, Orwell partió en transporte público y a pie, llegando a Manchester vía Coventry, Stafford, the Potteries y Macclesfield. Al llegar a Manchester después de que los bancos hubieran cerrado, tuvo que alojarse en una pensión común. Al día siguiente recogió una lista de contactos enviada por Richard Rees. Uno de ellos, el funcionario sindical Frank Meade, le sugirió Wigan, donde Orwell pasó el mes de febrero alojándose en sucios alojamientos sobre una tripería. En Wigan visitó muchas casas para ver cómo vivía la gente, tomó notas detalladas de las condiciones de alojamiento y los salarios percibidos, bajó a la mina de carbón de Bryn Hall y utilizó la biblioteca pública local para consultar los registros de salud pública y los informes sobre las condiciones de trabajo en las minas.

Durante este tiempo, se distrajo con preocupaciones de estilo y posibles difamaciones en *Keep the Aspidistra Flying*. Realizó una rápida visita a Liverpool y, durante el mes de marzo, permaneció en el sur de Yorkshire, pasando temporadas en Sheffield y Barnsley. Además de visitar minas, entre ellas Grimethorpe, y observar las condiciones sociales, asistió a reuniones del Partido Comunista y de Oswald Mosley ("su discurso fue la chorrada de siempre: la culpa de todo la tenían unas misteriosas bandas internacionales de judíos"), donde vio las tácticas de los Blackshirts ("...uno puede recibir tanto un martillazo como una multa por hacer una pregunta que a Mosley le cueste responder"). También hizo visitas a su hermana en Headingley, durante las cuales visitó la casa parroquial de los Brontë en Haworth, donde quedó "principalmente impresionado por un par de botas de tela de Charlotte Brontë, muy pequeñas, con puntera cuadrada y cordones a los lados".

Orwell necesitaba un lugar donde poder concentrarse en la escritura de su libro, y una vez más contó con la ayuda de la tía Nellie, que vivía en Wallington, Hertfordshire, en una casita del siglo XVI llamada "Stores". Wallington era un pueblecito a 56 km al norte de Londres, y la casita no tenía apenas instalaciones modernas. Orwell se hizo cargo del alquiler y se instaló en ella el 2 de abril de 1936. Comenzó a trabajar en *The Road to Wigan Pier* a finales de abril, pero también pasó horas trabajando en el jardín, plantando una rosaleda que aún se conserva, y revelando cuatro años más tarde que "fuera de mi trabajo lo que más me importa es la jardinería, especialmente la horticultura". También tanteó la posibilidad de reabrir los Almacenes como tienda del pueblo. *Keep the Aspidistra Flying* fue publicado por Gollancz el 20 de abril de 1936. El 4 de agosto, Orwell dio una charla en la Escuela de Verano Adelphi celebrada en Langham, titulada *An Outsider Sees the Distressed Areas*; otros de los que hablaron en la escuela fueron John Strachey, Max Plowman, Karl Polanyi y Reinhold Niebuhr.

El resultado de sus viajes por el norte fue *The Road to Wigan Pier*, publicado por Gollancz para el Left Book Club en 1937. La primera mitad del libro documenta sus investigaciones sociales de Lancashire y Yorkshire, incluida una evocadora descripción de la vida laboral en las minas de carbón. La segunda mitad es un largo ensayo sobre su educación y el desarrollo de su conciencia política, que incluye un alegato a favor del socialismo (aunque se esfuerza por equilibrar las preocupaciones y los objetivos del socialismo con las barreras a las que se enfrentaba por parte de los propios defensores del movimiento en aquella época, como intelectuales socialistas "mojigatos" y "aburridos" y socialistas "proletarios" con poca comprensión de la ideología real). Gollancz temía que la segunda parte ofendiera a los lectores y añadió un prefacio disculpatorio al libro mientras Orwell estaba en España.

La investigación de Orwell para *The Road to Wigan Pier le llevó a estar* bajo vigilancia de la Special Branch desde 1936, durante 12 años, hasta un año antes de la publicación de *Nineteen Eighty-Four*.

Orwell se casa con Eileen O'Shaughnessy el 9 de junio de 1936. Poco después comenzó la crisis política en España y Orwell siguió de cerca los acontecimientos. A finales de año, preocupado por el levantamiento militar de Francisco Franco (apoyado por la Alemania nazi, la Italia fascista y grupos locales como Falange), Orwell decidió ir a España para participar en la Guerra Civil Española en el bando republicano. Bajo la errónea impresión de que necesitaba papeles de alguna organización de izquierdas para cruzar la frontera, por recomendación de John Strachey se dirigió sin éxito a Harry Pollitt, líder del Partido Comunista Británico. Pollitt desconfiaba de la fiabilidad política de Orwell; le preguntó si se comprometía a unirse a la Brigada Internacional y le aconsejó que obtuviera un salvoconducto de la Embajada de España en París. Como no quería comprometerse hasta haber visto la situación *in situ*, Orwell utilizó sus contactos del Partido Laborista Independiente para conseguir una carta de presentación a John McNair en Barcelona.

# Guerra Civil española

Orwell partió hacia España alrededor del 23 de diciembre de 1936, cenando con Henry Miller en París por el camino. Miller le dijo a Orwell que ir a luchar en la Guerra Civil por algún sentimiento de obligación o culpa era "pura estupidez" y que las ideas del inglés "sobre la lucha contra el fascismo, la defensa de la democracia, etc., etc., eran puras tonterías". Unos días más tarde, en Barcelona, Orwell se reunió con John McNair, del Independent Labour Party (ILP) Office, quien le citó: "He venido a luchar contra el fascismo", pero si alguien le hubiera preguntado *por* qué luchaba, "debería haber respondido: 'Decencia común'". Orwell se adentró en una compleja situación política en Cataluña. El gobierno republicano contaba con el apoyo de varias facciones con objetivos contrapuestos, como el Partido Obrero de Unificación Marxista (POUM), la anarcosindicalista Confederación Nacional del Trabajo (CNT) y el Partido Socialista Unificado de Cataluña (un ala del Partido Comunista de España, que contaba con el apoyo de armas y ayuda soviética). Al principio, Orwell se sintió exasperado por este "caleidoscopio" de partidos políticos y sindicatos, "con sus nombres fastidiosos". El ILP estaba vinculado al POUM, así que Orwell se afilió a él.

Tras un tiempo en el Cuartel Lenin de Barcelona, fue enviado al relativamente tranquilo Frente de Aragón, a las órdenes de Georges Kopp. En enero de 1937 estaba en Alcubierre, a 460 metros sobre el nivel del mar, en pleno invierno. Hubo muy poca acción militar y Orwell quedó impresionado por la falta de municiones, alimentos y leña, así como por otras privaciones extremas. Gracias a su formación en el Cuerpo de Cadetes y en la policía, Orwell fue ascendido rápidamente a cabo. A la llegada de un contingente británico de la ILP unas tres semanas después, Orwell y el otro miliciano inglés, Williams, fueron enviados con ellos a Monte Oscuro. El recién llegado contingente de la ILP incluía a Bob Smillie, Bob Edwards, Stafford Cottman y Jack Branthwaite. A continuación, la unidad fue enviada a Huesca.

Mientras tanto, en Inglaterra, Eileen se ocupaba de los asuntos relacionados con la publicación de *The Road to Wigan Pier* antes de partir ella misma hacia España, dejando a Nellie Limouzin al cuidado de The Stores. Eileen se ofreció voluntaria para un puesto en la oficina de John McNair y, con la ayuda de Georges Kopp, visitó a su marido llevándole té, chocolate y puros ingleses. Orwell tuvo que pasar unos días en el hospital con una mano envenenada y el personal le robó la mayoría de sus pertenencias. Volvió al frente y participó en un ataque nocturno a las trincheras nacionalistas, donde persiguió a un soldado enemigo con una bayoneta y bombardeó una posición de fusilería enemiga.

En abril, Orwell regresó a Barcelona. Queriendo ser enviado al frente de Madrid, lo que significaba que "debía unirse a la Columna Internacional", se acercó a un amigo comunista adscrito a la Ayuda Médica Española y le explicó su caso. "Aunque no tenía muy buena opinión de los comunistas, Orwell seguía dispuesto a tratarlos como amigos y aliados. Eso cambiaría pronto". Era la época de las Jornadas de Mayo de Barcelona y Orwell se vio envuelto en la lucha entre facciones. Pasó gran parte del tiempo en un tejado, con una pila de novelas, pero durante la estancia se encontró con Jon Kimche, de sus días en Hampstead. La posterior campaña de mentiras y tergiversaciones llevada a cabo por la prensa comunista, en la que se acusaba al POUM de colaborar con los fascistas, tuvo un efecto dramático en Orwell. En lugar de unirse a las Brigadas Internacionales, como era su intención, decidió volver al Frente de Aragón. Una vez terminados los combates de mayo, un amigo comunista se le acercó para preguntarle si seguía teniendo intención de pasarse a las Brigadas Internacionales. Orwell se sorprendió de que aún le quisieran, porque según la prensa comunista era un fascista. "Nadie que estuviera en Barcelona entonces, o durante meses después, olvidará la horrible atmósfera producida por el miedo, la sospecha, el odio, los periódicos censurados, las cárceles abarrotadas, las enormes colas para la comida y las bandas de hombres armados merodeando".

Tras su regreso al frente, fue herido en la garganta por la bala de un francotirador. Con 1,88 m de estatura, Orwell era considerablemente más alto que los combatientes españoles y se le había advertido que no se pusiera de pie contra el parapeto de la trinchera. Incapaz de hablar y con la boca llena de sangre, Orwell fue llevado en camilla hasta Siétamo, cargado en una ambulancia y, tras un accidentado viaje vía Barbastro, llegó al hospital de Lleida. Se recuperó lo suficiente como para levantarse y el 27 de mayo de 1937 fue enviado a Tarragona y dos días más tarde a un sanatorio del POUM en los suburbios de Barcelona. La bala no había alcanzado la arteria principal por muy poco y apenas se oía su voz. Había sido un disparo tan limpio que la herida se sometió inmediatamente al proceso de cauterización. Recibió tratamiento de electroterapia y fue declarado médicamente no apto para el servicio.

A mediados de junio, la situación política en Barcelona se había deteriorado y el POUM -pintado por los comunistas prosoviéticos como una organización trotskista- estaba ilegalizado y era objeto de ataques. La línea comunista era que el POUM era "objetivamente" fascista y obstaculizaba la causa republicana. "Apareció un cartel particularmente desagradable, que mostraba una cabeza con una máscara del POUM que era arrancada para revelar un rostro cubierto de esvásticas debajo". Los miembros, incluido Kopp, fueron arrestados y otros se escondieron. Orwell y su mujer estaban amenazados y tuvieron que pasar desapercibidos, aunque rompieron su tapadera para intentar ayudar a Kopp.

Finalmente, con sus pasaportes en regla, escaparon de España en tren, desviándose a Banyuls-sur-Mer para una corta estancia antes de regresar a Inglaterra. En la primera semana de julio de 1937 Orwell llegó de vuelta a Wallington; el 13 de julio de 1937 se presentó una declaración ante el Tribunal de Espionaje y Alta Traición de Valencia, acusando a los Orwell de "trotskismo rabioso" y de ser agentes del POUM. El juicio de los líderes del POUM y de Orwell (en su ausencia) tuvo lugar en Barcelona en octubre y noviembre de 1938. Observando los acontecimientos desde el Marruecos francés, Orwell escribió que eran "sólo un subproducto de los juicios a los trotskistas rusos y desde el principio todo tipo de mentiras, incluyendo flagrantes absurdos, han circulado en la prensa comunista". Las experiencias de Orwell en la Guerra Civil española dieron lugar a *Homenaje a Cataluña* (1938).

En su libro *The International Brigades: Fascism, Freedom and the Spanish Civil War,* Giles Tremlett escribe que, según los archivos soviéticos, Orwell y su esposa Eileen fueron espiados en Barcelona en mayo de 1937. "Los papeles son una prueba documental de que no sólo Orwell, sino también su esposa Eileen, estaban siendo vigilados de cerca".

# Descanso y recuperación

Orwell regresa a Inglaterra en junio de 1937 y se aloja en casa de los O'Shaughnessy en Greenwich. Sus opiniones sobre la guerra civil española no fueron bien recibidas. Kingsley Martin rechazó dos de sus obras y Gollancz se mostró igualmente cauteloso. Al mismo tiempo, el periódico comunista *Daily Worker* publicaba un ataque contra *The Road to Wigan Pier, sacando* de contexto un escrito de Orwell en el que afirmaba que "las clases trabajadoras huelen mal". Orwell también pudo encontrar un editor más comprensivo con sus opiniones en Fredric Warburg de Secker & Warburg. Orwell regresó a Wallington, que encontró en desorden tras su ausencia. Adquirió cabras, un gallo al que llamó Henry Ford y un cachorro de caniche al que llamó Marx; y se dedicó a la cría de animales y a escribir *Homenaje a Cataluña*.

Se pensó en ir a la India para trabajar en *The Pioneer*, un periódico de Lucknow, pero en marzo de 1938 la salud de Orwell se había deteriorado. Fue ingresado en el sanatorio Preston Hall de Aylesford, Kent, un hospital de la Legión Británica para ex militares al que estaba adscrito su cuñado Laurence O'Shaughnessy. Al principio se pensó que padecía tuberculosis y permaneció en el sanatorio hasta septiembre. Acudieron a verle numerosos visitantes, entre ellos Common, Heppenstall, Plowman y Cyril Connolly. Connolly trajo consigo a Stephen Spender, lo que le causó cierta vergüenza, ya que Orwell se había referido a Spender como un "amigo mariquita" algún tiempo antes. *Homenaje a Cataluña* fue publicado en Londres por Secker & Warburg y fue un fracaso comercial; resurgió en la década de 1950, tras el éxito de los últimos libros de Orwell. Durante la última parte de su estancia en la clínica, Orwell pudo pasear por el campo y estudiar la naturaleza.

El novelista L. H. Myers financió en secreto un viaje al Marruecos francés durante medio año para que Orwell evitara el invierno inglés y recuperara la salud. Los Orwell partieron en septiembre de 1938 vía Gibraltar y Tánger para evitar el Marruecos español y llegaron a Marrakech. Alquilaron una villa en el camino a Casablanca y durante ese tiempo Orwell escribió *Coming Up for Air*. Regresan a Inglaterra el 30 de marzo de 1939 y Coming Up *for Air* se publica en junio. Orwell pasó un tiempo en Wallington y Southwold trabajando en un ensayo sobre Dickens y fue en junio de 1939 cuando murió el padre de Orwell, Richard Blair.

**Segunda Guerra Mundial y *Rebelión en la granja***

Al estallar la Segunda Guerra Mundial, la esposa de Orwell, Eileen, empezó a trabajar en el Departamento de Censura del Ministerio de Información en el centro de Londres, quedándose durante la semana con su familia en Greenwich. Orwell también presentó su nombre al Registro Central para trabajar en la guerra, pero no ocurrió nada. "No me aceptarán en el ejército, al menos por el momento, debido a mis pulmones", dijo Orwell a Geoffrey Gorer. Regresó a Wallington, y a finales de 1939 escribió material para su primera colección de ensayos, *Inside the Whale*. Durante el año siguiente se dedicó a escribir críticas de obras de teatro, películas y libros para *The Listener*, *Time and Tide* y *New Adelphi*. El 29 de marzo de 1940 comenzó su larga asociación con *Tribune* con una reseña del relato de un sargento sobre la retirada de Napoleón de Moscú. A principios de 1940 apareció la primera edición de *Horizon* de Connolly, que proporcionó una nueva salida al trabajo de Orwell, así como nuevos contactos literarios. En mayo, los Orwell alquilaron un piso en Londres, en Dorset Chambers, Chagford Street, Marylebone. Era la época de la evacuación de Dunkerque, y la muerte en Flandes, Francia, del hermano de Eileen, el Dr. Laurence O'Shaughnessy, le causó un considerable dolor y una larga depresión. Durante todo este periodo, Orwell llevó un diario de guerra.

Orwell fue declarado "no apto para ningún tipo de servicio militar" por la Junta Médica en junio, pero poco después encontró la oportunidad de participar en actividades bélicas al unirse a la Guardia Nacional británica. Compartía la visión socialista de Tom Wintringham de la Guardia Nacional como una milicia popular revolucionaria. Sus apuntes para instruir a los miembros del pelotón incluyen consejos sobre la lucha callejera, las fortificaciones de campaña y el uso de morteros de diversos tipos. El sargento Orwell consiguió reclutar a Fredric Warburg para su unidad. Durante la Batalla de Inglaterra solía pasar los fines de semana con Warburg y su nuevo amigo sionista, Tosco Fyvel, en la casa de Warburg en Twyford, Berkshire. En Wallington trabajó en "England Your England" y en Londres escribió reseñas para diversas publicaciones periódicas. Visitó a la familia de Eileen en Greenwich, donde conoció de cerca los efectos del Blitz en el este de Londres. A mediados de 1940, Warburg, Fyvel y Orwell planearon Searchlight Books. Finalmente aparecieron once volúmenes, de los cuales *The Lion and the Unicorn: Socialism and the English Genius*, publicado el 19 de febrero de 1941, fue el primero.

A principios de 1941 empezó a escribir para la American *Partisan Review*, que relacionaba a Orwell con los New York Intellectuals, también antiestalinistas, y contribuyó a la antología de Gollancz *The Betrayal of the Left*, escrita a la luz del Pacto Molotov-Ribbentrop (aunque Orwell se refería a él como Pacto Ruso-Alemán y Pacto Hitler-

Stalin). También solicitó sin éxito un puesto en el Ministerio del Aire. Mientras tanto, seguía escribiendo reseñas de libros y obras de teatro, y en esta época conoció al novelista Anthony Powell. También participó en algunas emisiones de radio para el Eastern Service de la BBC. En marzo los Orwell se mudaron a un séptimo piso en Langford Court, St John's Wood, mientras en Wallington Orwell "cavaba para la victoria" plantando patatas.

"No se podría tener un mejor ejemplo de la superficialidad moral y emocional de nuestro tiempo, que el hecho de que ahora todos estemos más o menos a favor de Stalin. Este repugnante asesino está temporalmente de nuestro lado, y así las purgas, etc., se olvidan de repente."

En agosto de 1941, Orwell consiguió finalmente un "trabajo de guerra" cuando fue contratado a tiempo completo por el Servicio Oriental de la BBC. Cuando fue entrevistado para el trabajo, indicó que "aceptaba absolutamente la necesidad de que la propaganda fuera dirigida por el gobierno" y subrayó su opinión de que, en tiempos de guerra, la disciplina en la ejecución de la política gubernamental era esencial. Supervisó las emisiones culturales a la India para contrarrestar la propaganda de la Alemania nazi destinada a socavar los vínculos imperiales. Esta fue la primera experiencia de

Orwell de la rígida conformidad de la vida en una oficina, y le dio la oportunidad de crear programas culturales con contribuciones de T. S. Eliot, Dylan Thomas, E. M. Forster, Ahmed Ali, Mulk Raj Anand y William Empson, entre otros.

A finales de agosto tuvo una cena con H. G. Wells que degeneró en una pelea porque Wells se había ofendido por las observaciones que Orwell había hecho sobre él en un artículo de *Horizon*. En octubre Orwell tuvo un ataque de bronquitis y la enfermedad reapareció con frecuencia. David Astor buscaba un colaborador provocador para *The Observer* e invitó a Orwell a escribir para él; el primer artículo apareció en marzo de 1942. A principios de 1942 Eileen cambió de trabajo para trabajar en el Ministerio de Alimentación y a mediados de 1942 los Orwell se mudaron a un piso más grande, planta baja y sótano, 10a Mortimer Crescent en Maida Vale/Kilburn-"el tipo de ambiente de clase media-baja que Orwell pensaba que era el mejor Londres". Por la misma época, la madre y la hermana de Orwell, Avril, que había encontrado trabajo en una fábrica de chapas metálicas detrás de la estación de King's Cross, se mudaron a un piso cerca de George y Eileen.

En la BBC, Orwell introdujo *Voice*, un programa literario para sus emisiones en la India, y ya llevaba una activa vida social con amigos literarios, sobre todo de la izquierda política. A finales de 1942, empezó a escribir regularmente para el semanario de izquierdas *Tribune*[306:441] , dirigido por los diputados laboristas Aneurin Bevan y George Strauss. En marzo de 1943 murió la madre de Orwell, y por la misma época le dijo a Moore que estaba empezando a trabajar en un nuevo libro, que resultó ser *Rebelión en la granja*.

En septiembre de 1943, Orwell dimitió del puesto en la BBC que había ocupado durante dos años.[352] Su dimisión se produjo a raíz de un informe que confirmaba sus temores de que pocos indios escuchaban las emisiones, pero también deseaba concentrarse en escribir *Rebelión en la granja*. Sólo seis días antes de su último día de servicio, el 24 de noviembre de 1943, se emitió su adaptación del cuento de hadas *El traje nuevo del emperador*, de Hans Christian Andersen. Era un género que le interesaba mucho y que aparecía en la portada de Rebelión *en la granja*. En esa época también dimitió de la Guardia Nacional por motivos médicos.

En noviembre de 1943, Orwell fue nombrado editor literario en *Tribune*, donde su ayudante era su viejo amigo Jon Kimche. Orwell formó parte de la plantilla hasta principios de 1945, escribiendo más de 80 reseñas de libros y el 3 de diciembre de 1943 comenzó su columna personal periódica, "As I Please", en la que solía tratar tres o cuatro temas en cada una. Seguía escribiendo reseñas para otras revistas, como *Partisan Review*, *Horizon* y New York *Nation*, y se estaba convirtiendo en un experto respetado entre los círculos de izquierdas, pero también en amigo íntimo de gente de derechas como Powell, Astor y Malcolm Muggeridge. En abril de 1944, Rebelión *en la granja* estaba lista para su publicación. Gollancz se negó a publicarla por considerarla un ataque al régimen soviético, aliado crucial en la guerra. Otros editores corrieron la misma suerte (entre ellos T. S. Eliot en Faber and Faber) hasta que Jonathan Cape aceptó aceptarla.

En mayo, los Orwell tuvieron la oportunidad de adoptar un niño, gracias a los contactos de la cuñada de Eileen, Gwen O'Shaughnessy, entonces médico en Newcastle upon Tyne. En junio, una bomba volante V-1 cayó sobre Mortimer Crescent y los Orwell tuvieron que buscar otro lugar donde vivir. Orwell tuvo que rebuscar entre los escombros su colección de libros, que finalmente había conseguido trasladar desde Wallington, llevándoselos en una carretilla. Otro golpe fue la revocación del plan de Cape de publicar *Rebelión en la granja*. La decisión se tomó tras su visita personal a Peter Smollett, funcionario del Ministerio de Información. Smollett fue identificado más tarde como agente soviético.

Los Orwell pasaron algún tiempo en el noreste, cerca de Carlton, en el condado de Durham, ocupándose de asuntos relacionados con la adopción de un niño al que llamaron Richard Horatio Blair. En septiembre de 1944 ya se habían instalado en Islington, en el 27b de Canonbury Square. El bebé Richard se unió a ellos allí, y Eileen dejó su trabajo en el Ministerio de Alimentación para cuidar de su familia. Secker & Warburg había aceptado publicar *Rebelión en la granja*, prevista para marzo siguiente, aunque no apareció impresa hasta agosto de 1945. En febrero de 1945 David Astor había invitado a Orwell a convertirse en corresponsal de guerra de *The Observer*. Orwell había estado buscando la oportunidad durante toda la guerra, pero sus informes médicos fallidos le impidieron acercarse a la acción. Primero fue al París liberado y luego a Alemania y Austria, a ciudades como Colonia y Stuttgart. Nunca estuvo en primera línea ni bajo el fuego, pero siguió de cerca a las tropas, "a veces entrando en una ciudad capturada al día siguiente de su caída mientras los cadáveres yacían en las calles". Algunos de sus informes se publicaron en el *Manchester Evening News*.

Fue durante su estancia cuando Eileen ingresó en el hospital para someterse a una histerectomía y murió bajo anestesia el 29 de marzo de 1945. No había avisado mucho a Orwell de esta operación porque estaba preocupada por el coste y porque esperaba recuperarse rápidamente. Orwell volvió a casa por un tiempo y luego regresó a Europa. Finalmente regresó a Londres para cubrir las elecciones generales de 1945 a principios de julio. *Rebelión en la granja: A Fairy Story* se publicó en Gran Bretaña el 17 de agosto de 1945, y un año más tarde en Estados Unidos, el 26 de agosto de 1946.

### Jura y *Mil novecientos ochenta y cuatro*

*Rebelión en la granja* tuvo especial resonancia en el clima de posguerra y su éxito mundial convirtió a Orwell en una figura muy solicitada. Durante los cuatro años siguientes, Orwell compaginó su trabajo periodístico -principalmente para *Tribune*, *The Observer* y *Manchester Evening News*, aunque también colaboró en numerosas revistas políticas y literarias de pequeña tirada- con la redacción de su obra más conocida, *Nineteen Eighty-Four,* publicada en 1949. Fue una figura destacada del llamado Club de Shanghai (llamado así por un restaurante del Soho) de periodistas de izquierdas y emigrados, entre ellos E. H. Carr, Sebastian Haffner, Isaac Deutscher, Barbara Ward y Jon Kimche.

El año siguiente a la muerte de Eileen publicó unos 130 artículos y una selección de sus *Ensayos Críticos, al* tiempo que se mantenía activo en diversas campañas de presión política. Contrató a un ama de llaves, Susan Watson, para cuidar de su hijo adoptivo en el piso de Islington, que los visitantes describen ahora como "desolador". En septiembre pasó quince días en la isla de Jura, en las Hébridas Interiores, y la consideró un lugar para escapar del ajetreo de la vida literaria londinense. David Astor desempeñó un papel decisivo a la hora de conseguir un lugar para Orwell en Jura. La familia de Astor poseía fincas escocesas en la zona y un compañero de Old Eton, Robin Fletcher, tenía una propiedad en la isla. A finales de 1945 y principios de 1946, Orwell hizo varias proposiciones de matrimonio desesperadas e inoportunas a mujeres más jóvenes, entre ellas Celia Kirwan (que más tarde se convertiría en cuñada de Arthur Koestler); Ann Popham, que casualmente vivía en el mismo bloque de pisos; y Sonia Brownell, una de las compañeras de Connolly en la oficina de *Horizon*. Orwell sufrió una hemorragia tuberculosa en febrero de 1946, pero disimuló su enfermedad. En 1945 o principios de 1946, cuando aún vivía en Canonbury Square, Orwell escribió un artículo sobre "Cocina británica", con recetas, por encargo del British Council. Dada la escasez de la posguerra, ambas partes acordaron no publicarlo. Su hermana Marjorie murió de una enfermedad renal en mayo, y poco después, el 22 de mayo de 1946, Orwell se fue a vivir a la isla de Jura, a una casa conocida como Barnhill.

Se trataba de una granja abandonada con dependencias cerca del extremo septentrional de la isla, al final de un camino de 8 km muy accidentado desde Ardlussa, donde vivían los propietarios. Las condiciones en la granja eran primitivas, pero la historia natural y el reto de mejorar el lugar atrajeron a Orwell. Su hermana Avril le acompañó y el joven novelista Paul Potts formó parte del grupo. En julio llegó Susan Watson con Richard, el hijo de Orwell. Las tensiones aumentaron y Potts se marchó después de que uno de sus manuscritos fuera utilizado para encender el fuego. Mientras tanto, Orwell se puso a trabajar en *Nineteen Eighty-Four*. Más tarde llegó David Holbrook, novio de Susan Watson. Admirador de Orwell desde los días de colegio, encontró la realidad muy diferente, con Orwell hostil y desagradable probablemente debido a la pertenencia de Holbrook al Partido Comunista. Watson ya no soportaba estar con Avril y ella y su novio se marcharon.

Orwell regresó a Londres a finales de 1946 y retomó su periodismo literario. Convertido en un escritor de renombre, estaba inundado de trabajo. Aparte de una visita a Jura en año nuevo, permaneció en Londres durante uno de los inviernos británicos más fríos que se recuerdan y con tal escasez nacional de combustible que quemó sus muebles y los juguetes de sus hijos. La densa niebla tóxica de los días anteriores a la Ley de Aire Limpio de 1956 no ayudó mucho a su salud, sobre la que se mostraba reticente, manteniéndose alejado de la atención médica. Mientras tanto, tuvo que hacer frente a las reclamaciones rivales de las editoriales Gollancz y Warburg por los derechos de publicación. Por aquel entonces coeditó con Reginald Reynolds una colección titulada *British Pamphleteers*. Como consecuencia del éxito de *Rebelión en la granja,* Orwell esperaba recibir una cuantiosa factura de Hacienda, por lo que se puso en contacto con una empresa de contables cuyo socio principal era Jack Harrison. La empresa aconsejó a Orwell que creara una sociedad propietaria de sus derechos de autor, que percibiera sus royalties y estableciera un "contrato de servicios" para poder cobrar un sueldo. Dicha empresa, "George Orwell Productions Ltd" (GOP Ltd) se constituyó el 12 de septiembre de 1947, aunque el acuerdo de servicios no se hizo efectivo entonces. Jack Harrison dejó los detalles en manos de sus colegas más jóvenes.

Orwell se marchó de Londres a Jura el 10 de abril de 1947. En julio rescindió el contrato de arrendamiento de la casa de Wallington. De vuelta en Jura trabajó en *Nineteen Eighty-Four* y avanzó mucho. Durante ese tiempo le visitó la familia de su hermana, y Orwell protagonizó una desastrosa expedición en barco, el 19 de agosto, en la que estuvo a punto de perder la vida al intentar cruzar el tristemente célebre golfo de Corryvreckan y en la que se dio un remojón que no fue bueno para su salud. En diciembre se llamó a un especialista en tórax de Glasgow que declaró a Orwell gravemente enfermo, y una semana antes de la Navidad de 1947 se encontraba en el hospital Hairmyres de East Kilbride, entonces un pequeño pueblo en el campo, a las afueras de Glasgow. Se le diagnosticó tuberculosis y la petición de permiso para importar estreptomicina para tratar a Orwell llegó hasta Aneurin Bevan, entonces Ministro de Sanidad. David Astor ayudó con el suministro y el pago y Orwell comenzó su tratamiento con estreptomicina el 19 o 20 de febrero de 1948. A finales de julio de 1948 Orwell pudo volver a Jura y en diciembre había terminado el manuscrito de *Nineteen Eighty-Four*. En enero de 1949, en un estado muy débil, partió hacia un sanatorio en Cranham, Gloucestershire, escoltado por Richard Rees. Por desgracia para Orwell, no pudo seguir tomando estreptomicina, ya que desarrolló necrólisis epidérmica tóxica, un raro efecto secundario de la estreptomicina.

El sanatorio de Cranham consistía en una serie de pequeños chalés o cabañas de madera en una zona remota de los Cotswolds, cerca de Stroud. A los visitantes les chocaba el aspecto de Orwell y les preocupaban las deficiencias y la ineficacia del tratamiento. Sus amigos estaban preocupados por su situación económica, pero a estas alturas se encontraba relativamente bien. Se escribía con muchos de sus amigos, entre ellos Jacintha Buddicom, que le había "redescubierto", y en marzo de 1949 recibió la visita de Celia Kirwan. Kirwan acababa de empezar a trabajar para una unidad del Foreign Office, el Information Research Department (IRD), creado por el gobierno laborista para publicar propaganda anticomunista, y Orwell le dio una lista de personas que consideraba inadecuadas como autores del IRD por sus inclinaciones procomunistas. La lista de Orwell, que no se publicó hasta 2003, estaba formada principalmente por escritores, pero también incluía a actores y diputados laboristas. Para seguir promocionando *Rebelión en la granja*, el IRD encargó tiras cómicas, dibujadas por Norman Pett, que se publicaron en periódicos de todo el mundo. Orwell recibió más tratamiento con estreptomicina y mejoró ligeramente. Esta repetición de la dosis de estreptomicina, sobre todo después de haberse notado el efecto secundario, ha sido calificada de "desacertada". A continuación recibió penicilina, a sabiendas de que era ineficaz contra la tuberculosis. Se supone que se le administró para tratar sus bronquiectasias. En junio de 1949 se publicó *Diecinueve ochenta y cuatro*, con gran éxito de crítica.

# Últimos meses y muerte

La salud de Orwell siguió empeorando tras el diagnóstico de tuberculosis en diciembre de 1947. A mediados de 1949, cortejó a Sonia Brownell, y anunciaron su compromiso en septiembre, poco antes de que fuera trasladado al University College Hospital de Londres. Sonia se hizo cargo de los asuntos de Orwell y le atendió diligentemente en el hospital. Sonia era una belleza, y su acto de casarse con un hombre rico y enfermo, cuando su muerte era casi segura, ha hecho dudar a muchos de sus intenciones.

En septiembre de 1949, Orwell invitó a su contable Harrison a visitarle al hospital, y Harrison afirmó que Orwell le pidió entonces que se convirtiera en director de GOP Ltd y que dirigiera la empresa, pero no hubo ningún testigo independiente. La boda de Orwell se celebró en la habitación del hospital el 13 de octubre de 1949, con David Astor como padrino. Orwell estaba decaído y recibió un surtido de visitas, entre ellas las de Muggeridge, Connolly, Lucian Freud, Stephen Spender, Evelyn Waugh, Paul Potts, Anthony Powell y su tutor en Eton, Anthony Gow. Se plantearon planes para ir a los Alpes suizos. Se celebraron nuevas reuniones con su contable, en las que Harrison y el Sr. y la Sra. Blair fueron confirmados como directores de la empresa, y en las que

Harrison afirmó que se había ejecutado el "acuerdo de servicio", que otorgaba los derechos de autor a la empresa. La salud de Orwell volvió a empeorar en Navidad. La noche del 20 de enero de 1950, Potts visitó a Orwell y se escabulló al encontrarlo dormido. Jack Harrison le visitó más tarde y afirmó que Orwell le había cedido el 25% de la empresa. A primera hora de la mañana del 21 de enero, una arteria reventó en los pulmones de Orwell, matándole a la edad de 46 años.

Orwell había pedido ser enterrado según el rito anglicano en el cementerio de la iglesia más cercana al lugar donde muriera. Los cementerios del centro de Londres carecían de espacio, por lo que, en un esfuerzo por garantizar el cumplimiento de sus últimos deseos, su viuda hizo un llamamiento a sus amigos para ver si alguno de ellos conocía alguna iglesia con espacio en su cementerio. David Astor vivía en Sutton Courtenay, Berkshire (actual Oxfordshire), e hizo los arreglos necesarios para que Orwell fuera enterrado en el cementerio de Todos los Santos. La lápida de Orwell lleva el epitafio: "Aquí yace Eric Arthur Blair, nacido el 25 de junio de 1903, fallecido el 21 de enero de 1950"; en la lápida no se menciona su seudónimo más famoso.

El funeral fue organizado por Anthony Powell y Malcom Muggeridge. Powell eligió los himnos: "Todos los pueblos que en la tierra habitan", "Guíame, oh tú, gran Redentor" y "Diez mil veces diez mil".

El hijo adoptivo de Orwell, Richard Horatio Blair, fue criado por la hermana de Orwell, Avril Dunn (de soltera Blair), su tutora legal, y su marido, Bill Dunn.

En 1979, Sonia Brownell interpuso una demanda ante el Tribunal Superior contra Harrison cuando éste declaró su intención de subdividir su participación del 25% en la empresa entre sus tres hijos. Para Sonia, la consecuencia de esta maniobra habría hecho tres veces más difícil conseguir el control global de la empresa. Se consideraba que tenía un caso sólido, pero estaba cada vez más enferma y finalmente se le convenció para que llegara a un acuerdo extrajudicial el 2 de noviembre de 1980. Murió el 11 de diciembre de 1980, a la edad de 62 años.

# Carrera literaria y legado

Durante la mayor parte de su carrera, Orwell fue más conocido por su labor periodística, en ensayos, reseñas, columnas en periódicos y revistas y en sus libros de reportajes: *Down and Out in Paris and London* (que describe un periodo de pobreza en estas ciudades), *The Road to Wigan Pier* (que describe las condiciones de vida de los pobres en el norte de Inglaterra, y la división de clases en general) y *Homage to Catalonia*. Según Irving Howe, Orwell fue "el mejor ensayista inglés desde Hazlitt, quizá desde el Dr. Johnson".

Los lectores modernos suelen conocer a Orwell como novelista, sobre todo a través de sus títulos de enorme éxito Rebelión *en la granja* y *Ochenta y cuatro*. A menudo se piensa que la primera refleja la degeneración en la Unión Soviética tras la Revolución Rusa y el ascenso del estalinismo; la segunda, la vida bajo un régimen totalitario. Mil *novecientos ochenta y cuatro se* compara a menudo con *Un mundo feliz* de Aldous Huxley; ambas son poderosas novelas distópicas que advierten de un mundo futuro en el que la maquinaria estatal ejerce un control absoluto sobre la vida social. En 1984, *Diecinueve ochenta y cuatro* y *Fahrenheit 451,* de Ray Bradbury, fueron galardonadas con el Premio Prometeo por su contribución a la literatura distópica. En 2011 volvió a recibirlo por *Rebelión en la granja*. En 2003, *Diecinueve Ochenta y Cuatro apareció en el* número 8 y Rebelión *en la granja* en el 46 de la encuesta The Big Read de la BBC. En 2021, los lectores del *New York Times Book Review* calificaron Diecinueve Ochenta *y Cuatro como* tercero en una lista de "Los mejores libros de los últimos 125 años".

*Coming Up for Air*, su última novela antes de la Segunda Guerra Mundial, es la más "inglesa" de sus novelas; las alarmas de la guerra se mezclan con las imágenes de la idílica infancia eduardiana junto al Támesis del protagonista George Bowling. La novela es pesimista; el industrialismo y el capitalismo han acabado con lo mejor de la vieja Inglaterra, y se ciernen nuevas y grandes amenazas externas. En términos caseros, su protagonista George Bowling plantea las hipótesis totalitarias de Franz Borkenau, Orwell, Ignazio Silone y Koestler: "El viejo Hitler es algo diferente. Joe Stalin también. Sie sind nicht wie die alten Menschen, die in den alten Zeiten geschrieben werden, ihre Kopf, etc., weil sie sich einfach gewünscht haben ... Son algo muy nuevo, algo de lo que nunca se había oído hablar antes".

**Influencias literarias**

En un artículo autobiográfico que Orwell envió a los editores de *Twentieth Century Authors* en 1940, escribió: "Los escritores que más me importan y de los que nunca me canso son: Shakespeare, Swift, Fielding, Dickens, Charles Reade, Flaubert y, entre los escritores modernos, James Joyce, T. S. Eliot y D. H. Lawrence. Pero creo que el escritor moderno que más me ha influido es W. Somerset Maugham, a quien admiro inmensamente por su poder para contar una historia de forma directa y sin florituras". En otro lugar, Orwell elogió encarecidamente las obras de Jack London, especialmente su libro *The Road (La carretera)*. La investigación de Orwell sobre la pobreza en *The Road to Wigan Pier* se parece mucho a la de Jack London en *The People of the Abyss*, en la que el periodista estadounidense se disfraza de marinero en paro para investigar la vida de los pobres en Londres. En su ensayo "Politics vs. Literature: An Examination of Gulliver's Travels" (1946) Orwell escribió: "Si tuviera que hacer una lista de seis libros que debieran conservarse cuando todos los demás fueran destruidos, sin duda pondría entre ellos *Los viajes de Gulliver*". Sobre H. G. Wells escribió: "Las mentes de todos nosotros, y por lo tanto el mundo físico, serían perceptiblemente diferentes si Wells nunca hubiera existido".

Orwell era un admirador de Arthur Koestler y se convirtió en un amigo íntimo durante los tres años que Koestler y su esposa Mamain pasaron en la casa de campo de Bwlch

Ocyn, una granja aislada que pertenecía a Clough Williams-Ellis, en el Valle de Ffestiniog. Orwell reseñó *Darkness at Noon* de Koestler para el *New Statesman* en 1941, diciendo:

Por brillante que sea este libro como novela, y como pieza de brillante literatura, es probablemente más valioso como interpretación de las "confesiones" de Moscú por alguien con un conocimiento interno de los métodos totalitarios. Lo aterrador de estos juicios no fue el hecho de que ocurrieran -porque, obviamente, tales cosas son necesarias en una sociedad totalitaria-, sino el afán de los intelectuales occidentales por justificarlos.

Otros escritores a los que Orwell admiraba eran: Ralph Waldo Emerson, George Gissing, Graham Greene, Herman Melville, Henry Miller, Tobias Smollett, Mark Twain, Joseph Conrad y Yevgeny Zamyatin. Fue a la vez admirador y crítico de Rudyard Kipling, a quien elogió como escritor dotado y "buen poeta malo" cuya obra es "espuria" y "moralmente insensible y estéticamente repugnante", pero innegablemente seductora y capaz de hablar de ciertos aspectos de la realidad con más eficacia que autores más ilustrados. Tenía una actitud igualmente ambivalente hacia G. K. Chesterton, a quien consideraba un escritor de considerable talento que había optado por dedicarse a la "propaganda católica romana", y hacia Evelyn Waugh, que era, según escribió, "casi tan buen novelista como se puede ser (es decir, como los novelistas de hoy en día) mientras se sostienen opiniones insostenibles".

## Orwell como crítico literario

A lo largo de su vida, Orwell se mantuvo continuamente como crítico literario. Sus reseñas son bien conocidas y han influido en la crítica literaria. Escribió en la conclusión de su ensayo de 1940 sobre Charles Dickens,

"Cuando uno lee un escrito muy individual, tiene la impresión de ver un rostro en algún lugar detrás de la página. No es necesariamente el rostro real del escritor. Siento esto muy fuertemente con Swift, con Defoe, con Fielding, Stendhal, Thackeray, Flaubert, aunque en varios casos no sé cómo eran estas personas y no quiero saberlo. Lo que uno ve es la cara que debería tener el escritor. Pues bien, en el caso de Dickens veo un rostro que no es exactamente el de las fotografías de Dickens, aunque se le parece. Es la cara de un hombre de unos cuarenta años, con una pequeña barba y un color alto. Está riendo, con un toque de ira en su risa, pero sin triunfo ni malignidad. Es el rostro de un hombre que siempre está luchando contra algo, pero que lucha abiertamente y no se asusta, el rostro de un hombre que está generosamente enfadado; en otras palabras, de un liberal del siglo XIX, una inteligencia libre, un tipo odiado con igual odio por todas las pequeñas ortodoxias malolientes que ahora se disputan nuestras almas."

George Woodcock sugirió que las dos últimas frases también describen a Orwell.

Orwell escribió una crítica de la obra de George Bernard Shaw *Arms and the Man*. La consideraba la mejor obra de Shaw y la que más posibilidades tenía de seguir siendo socialmente relevante, por su tema de que la guerra no es, en general, una gloriosa aventura romántica. Su ensayo de 1945 *In Defence of P.G. Wodehouse (En defensa de P.G. Wodehouse)* contiene una divertida valoración de los escritos de Wodehouse y también argumenta que sus emisiones desde Alemania (durante la guerra) no le convirtieron realmente en un traidor. Acusa al Ministerio de Información de exagerar las acciones de Wodehouse con fines propagandísticos.

### Escritura alimentaria

En 1946, el British Council encargó a Orwell que escribiera un ensayo sobre la comida británica como parte de una campaña para promover las relaciones británicas en el extranjero. En el ensayo, titulado *British Cookery (Cocina británica),* Orwell describe la dieta británica como "una dieta sencilla, bastante pesada, quizá ligeramente bárbara" y en la que "las bebidas calientes son aceptables a la mayoría de las horas del día". Habla del ritual del desayuno en el Reino Unido: "no se trata de un tentempié, sino de una comida seria. La hora a la que la gente desayuna se rige, por supuesto, por la hora a la que van a trabajar". Escribió que el "high tea" en el Reino Unido consistía en una variedad de platos salados y dulces, pero "ningún té se consideraría bueno si no incluyera al menos un tipo de tarta", antes de añadir "además de tartas, las galletas se comen mucho a la hora del té". Orwell incluyó una receta de mermelada, una popular crema británica para untar en el pan. Sin embargo, el British Council se negó a publicar el ensayo alegando que era demasiado problemático escribir sobre comida en la época del estricto racionamiento en el Reino Unido. En 2019, el ensayo fue descubierto en los archivos del British Council junto con la carta de rechazo. El British Council emitió una disculpa oficial a Orwell por el rechazo del ensayo encargado.

### Recepción y evaluaciones de la obra de Orwell

Arthur Koestler dijo que la "inflexible honestidad intelectual de Orwell le hacía parecer a veces casi inhumano". Ben Wattenberg afirmó: "La escritura de Orwell perforaba la hipocresía intelectual allí donde la encontraba". Según el historiador Piers Brendon, "Orwell era el santo de la decencia común que en otros tiempos, dijo su jefe de la BBC Rushbrook Williams, 'habría sido canonizado o quemado en la hoguera'". Raymond

Williams en *Politics and Letters: Entrevistas con la New Left Review* describe a Orwell como una "exitosa personificación de un hombre sencillo que se topa con la experiencia de forma no mediada y dice la verdad sobre ella". Christopher Norris declaró que la "perspectiva empirista casera de Orwell -su suposición de que la verdad estaba ahí para ser contada de forma directa y con sentido común- parece ahora no sólo ingenua, sino culpablemente autoengañosa". El académico estadounidense Scott Lucas ha descrito a Orwell como un enemigo de la izquierda. John Newsinger ha argumentado que Lucas sólo pudo hacerlo presentando "todos los ataques de Orwell al estalinismo [-] como si fueran ataques al socialismo, a pesar de la continua insistencia de Orwell en que no lo eran".

La obra de Orwell ha ocupado un lugar destacado en el plan de estudios de literatura escolar en Inglaterra, siendo Rebelión en la *granja un tema* habitual de examen al final de la educación secundaria (GCSE), y *Diecinueve Ochenta y Cuatro* un tema para exámenes posteriores por debajo del nivel universitario (A Levels). Según una encuesta realizada en 2016 en el Reino Unido, *Rebelión en la granja es el* libro favorito de los escolares.

El historiador John Rodden declaró "John Podhoretz afirmó que si Orwell viviera hoy, estaría con los neoconservadores y contra la izquierda. Y la pregunta que surge es: ¿hasta qué punto se puede siquiera empezar a predecir las posiciones políticas de alguien que para entonces lleva muerto tres décadas o más?".

En *La victoria de Orwell*, Christopher Hitchens argumenta: "En respuesta a la acusación de inconsistencia, Orwell, como escritor, siempre estaba tomando su propia temperatura. En otras palabras, se trataba de alguien que nunca dejó de poner a prueba y ajustar su inteligencia".

John Rodden señala los "innegables rasgos conservadores en la fisonomía de Orwell" y observa cómo "hasta cierto punto, Orwell facilitó los tipos de usos y abusos por parte de la Derecha que se han hecho de su nombre. En otros sentidos ha sido la política de la cita selectiva". Rodden se refiere al ensayo "Por qué escribo", en el que Orwell se refiere a la Guerra Civil española como su "experiencia política decisiva", diciendo: "La Guerra de España y otros acontecimientos en 1936-37, dieron la vuelta a la balanza. A partir de entonces supe a qué atenerme. Cada línea de trabajo serio que he escrito desde 1936 ha sido escrita directa o indirectamente *contra* el totalitarismo y *a favor* del socialismo democrático tal y como yo lo entiendo". (énfasis en el original) Rodden continúa explicando cómo, durante la era McCarthy, la introducción a la edición Signet de Rebelión *en la granja,* que vendió más de 20 millones de ejemplares, hace uso de la cita selectiva:

"[*Introducción*]: Si el propio libro, *Rebelión en la granja*, había dejado alguna duda al respecto, Orwell la disipó en su ensayo *Por qué escribo*: 'Cada línea de trabajo serio que he escrito desde 1936 ha sido escrita directa o indirectamente contra el Totalitarismo ....'.
[*Rodden*]: punto, punto, punto, punto, la política de la elipsis. 'Por el Socialismo Democrático' se vaporiza, como lo hizo Winston Smith en el Ministerio de la Verdad, y eso es en gran medida lo que ocurrió al principio de la era McCarthy y continuó, citando selectivamente a Orwell."

Fyvel escribió sobre Orwell: "Su experiencia crucial [...] fue su lucha por convertirse en escritor, una lucha que le llevó a través de largos períodos de pobreza, fracaso y humillación, y sobre la que no ha escrito casi nada directamente. El sudor y la agonía estaban menos en la vida en los barrios bajos que en el esfuerzo por convertir la experiencia en literatura."

**Influencia en el lenguaje y la escritura**

En su ensayo "La política y la lengua inglesa" (1946), Orwell escribió sobre la importancia del lenguaje preciso y claro, argumentando que la escritura imprecisa puede utilizarse como una poderosa herramienta de manipulación política porque moldea nuestra forma de pensar. En ese ensayo, Orwell ofrece seis reglas para los escritores:

1. No utilice nunca una metáfora, un símil u otra figura retórica que esté acostumbrado a ver impresa.

2. Nunca utilices una palabra larga cuando basta con una corta.

3. Si es posible eliminar una palabra, elimínela siempre.

4. Nunca uses la pasiva cuando puedas usar la activa.

5. Nunca utilices una frase extranjera, una palabra científica o una palabra de jerga si puedes pensar en un equivalente en inglés cotidiano.

6. Rompe cualquiera de estas reglas antes que decir cualquier barbaridad.

Orwell trabajó como periodista en *The Observer* durante siete años, y su director, David Astor, regalaba un ejemplar de este célebre ensayo a cada nuevo fichaje. En 2003, el editor literario del periódico, Robert McCrum, escribió: "Incluso ahora se cita en nuestro libro de estilo". El periodista Jonathan Heawood señaló: "La crítica de Orwell al lenguaje descuidado sigue tomándose muy en serio".

Andrew N. Rubin sostiene que "Orwell afirmaba que deberíamos estar atentos a cómo el uso del lenguaje ha limitado nuestra capacidad de pensamiento crítico, del mismo modo que deberíamos estar igualmente preocupados por las formas en que los modos de pensamiento dominantes han remodelado el propio lenguaje que utilizamos".

El adjetivo "orwelliano" connota una actitud y una política de control mediante la propaganda, la vigilancia, la desinformación, la negación de la verdad y la manipulación del pasado. En Nineteen *Eighty-Four*, Orwell describió un gobierno totalitario que controlaba el pensamiento mediante el control del lenguaje, haciendo que ciertas ideas fueran literalmente impensables. Varias palabras y frases de *Diecinueve Ochenta y Cuatro* se han introducido en el lenguaje popular. "Newspeak" es un lenguaje simplificado y ofuscador diseñado para imposibilitar el pensamiento independiente. "Doblepensar" significa mantener dos creencias contradictorias simultáneamente. La "policía del pensamiento" es la que suprime toda opinión disidente. "Prolefeed" es literatura, cine y música superficiales, homogeneizados y fabricados, utilizados para controlar y adoctrinar a la población mediante la docilidad. El "Gran Hermano" es un dictador supremo que vigila a todo el mundo. Otros neologismos de la novela son "Dos minutos de odio", "Habitación 101", "agujero de memoria", "unpersona" y "delito de pensamiento", además de inspirar directamente el neologismo "pensamiento de grupo".

Orwell puede haber sido el primero en utilizar el término "guerra fría" para referirse al estado de tensión entre las potencias del Bloque Occidental y el Bloque Oriental que siguió a la Segunda Guerra Mundial en su ensayo "Usted y la bomba atómica", publicado en *Tribune* el 19 de octubre de 1945. Escribió:

"Es posible que nos dirijamos no a un colapso general, sino a una época tan horriblemente estable como los imperios esclavistas de la antigüedad". La teoría de James Burnham ha sido muy discutida, pero poca gente ha considerado aún sus implicaciones ideológicas, es decir, el tipo de visión del mundo, el tipo de creencias y la estructura social que probablemente prevalecerían en un Estado que fuera a la vez inconquistable y estuviera en un estado permanente de 'guerra fría' con sus vecinos."

# Cultura moderna

Aparte de las adaptaciones teatrales de sus libros, se escribieron varias obras de teatro con Orwell como uno de los personajes principales.

- En 2012 se representó en el Greenwich Theatre de Londres la obra musical *One Georgie Orwell*, de Peter Cordwell y Carl Picton. Exploraba la vida de Orwell, sus preocupaciones por el mundo en que vivía y por la Gran Bretaña que amaba.

- En 2014, la compañía de teatro Northern Stage de White River Junction (Vermont) estrenó una obra escrita por el dramaturgo Joe Sutton titulada *Orwell in America*. Se trata de un relato ficticio de Orwell haciendo una gira de libros por Estados Unidos (algo que nunca hizo en vida). Se trasladó al off-Broadway en 2016.

- En 2017, la obra *Mrs Orwell*, del dramaturgo británico Tony Cox, se estrenó en el Old Red Lion Theatre de Londres antes de trasladarse al Southwark Playhouse. Se centra en la segunda esposa de Orwell, Sonia Brownell (interpretada por Cressida Bonas), sus razones para casarse con Orwell y su relación con Lucian Freud.

- En 2019, la compañía de teatro de Tasmania Blue Cow presentó la obra *101*, de Cameron Hindrum, en la que se ve a Orwell trabajando en su novela *1984* "mientras mantiene a raya su grave enfermedad y equilibra las exigencias de la paternidad, el arte, la familia y el éxito."

Orwell es el protagonista de una novela de 2017, *El último hombre en Europa*, del autor australiano Denis Glover.

El lugar de nacimiento de Orwell, un bungalow en Motihari, Bihar, India, se inauguró como museo en mayo de 2015, varios años después de que los residentes locales solicitaran la conservación del edificio. En enero de 2021, el busto de Orwell cerca del museo fue objeto de vandalismo. Las reseñas sobre el George Orwell Birthplace Museum publicadas en Google desde entonces sugieren que el museo no se encuentra en buen estado.

La Orwell Society se fundó en 2011 para promover el conocimiento de la vida y obra de George Orwell.

**Estatua**

Una estatua de George Orwell, esculpida por el escultor británico Martin Jennings, fue inaugurada el 7 de noviembre de 2017 frente a Broadcasting House, la sede de la BBC. En la pared detrás de la estatua está inscrita la siguiente frase: "Si la libertad significa algo, significa el derecho a decirle a la gente lo que no quiere oír". Son palabras de su propuesta de prefacio a *Rebelión en la granja* y un grito de guerra a favor de la idea de la libertad de expresión en una sociedad abierta.

# Vida privada

## Infancia

El relato de Jacintha Buddicom, *Eric & Us*, ofrece una visión de la infancia de Blair. Cita a su hermana Avril: "Era esencialmente una persona distante y poco demostrativa", y ella misma habla de su amistad con los Buddicom: "No creo que necesitara otros amigos más allá del amigo del colegio al que ocasionalmente y con aprecio se refería como 'CC'". No recordaba que tuviera amigos de la escuela para quedarse e intercambiar visitas como hacía a menudo su hermano Prosper en vacaciones. Cyril Connolly relata la infancia de Blair en *Enemies of Promise*. Años más tarde, Blair recordaba mordazmente su época de estudiante en el ensayo "Such, Such Were the Joys" ("Tales, tales eran las alegrías"), en el que afirmaba, entre otras cosas, que "le hicieron estudiar como un perro" para conseguir una beca, que según él tenía como único objetivo aumentar el prestigio del colegio ante los padres. Jacintha Buddicom repudió la miseria escolar de Orwell descrita en el ensayo, afirmando que "era un niño especialmente feliz". Señaló que no le gustaba su nombre porque le recordaba a un libro que le disgustaba mucho: Eric*, or, Little by Little*, un cuento escolar victoriano para chicos.

Connolly comentó de él cuando era un colegial: "Lo notable de Orwell era que sólo entre los chicos era un intelectual y no un papagayo, pues pensaba por sí mismo". En Eton, John Vaughan Wilkes, hijo de su antiguo director en St Cyprians, recordaba que "era extremadamente discutidor -sobre cualquier cosa- y criticaba a los maestros y a los otros chicos [...] Disfrutábamos discutiendo con él. Generalmente ganaba las discusiones, o eso creía". Roger Mynors coincide: "Discusiones interminables sobre todo tipo de cosas, en las que él era uno de los grandes líderes. Era uno de esos chicos que pensaba por sí mismo".

A Blair le gustaba gastar bromas pesadas. Buddicom lo recuerda colgándose del portaequipajes de un vagón de tren como un orangután para asustar a una pasajera y sacarla del compartimento. En Eton, le gastó bromas a John Crace, su jefe de estudios, entre ellas publicar un anuncio falso en una revista del colegio que insinuaba pederastia. Gow, su tutor, dijo que "molestaba todo lo que podía" y que "era un chico muy poco atractivo". Más tarde, Blair fue expulsado de la guardería de Southwold por enviar una rata muerta como regalo de cumpleaños al agrimensor del pueblo. En uno de sus ensayos *As I Please* se refiere a una broma prolongada cuando contestó a un anuncio de una mujer que afirmaba tener una cura para la obesidad.

Blair se interesó por la historia natural desde su infancia. En sus cartas desde la escuela escribía sobre orugas y mariposas, y Buddicom recuerda su gran interés por la ornitología. También disfrutaba pescando y cazando conejos, y realizando experimentos como cocinar un erizo o derribar un grajo desde el tejado de Eton para diseccionarlo. Su afán por los experimentos científicos se extendió a los explosivos: Buddicom recuerda de nuevo a un cocinero que le avisó por el ruido que hacían. Más tarde, en Southwold, su hermana Avril le recuerda haciendo explotar el jardín. Cuando enseñaba, entusiasmaba a sus alumnos con sus paseos por la naturaleza, tanto en Southwold como en Hayes. Sus diarios de adulto están impregnados de sus observaciones sobre la naturaleza.

## Relaciones y matrimonio

Buddicom y Blair perdieron el contacto poco después de que él fuera a Birmania y ella empezó a sentir antipatía por él. Ella escribió que se debía a las cartas que él le escribía quejándose de su vida, pero un apéndice de *Eric & Us*, de Venables, revela que él pudo haber perdido su simpatía por un incidente que fue, en el mejor de los casos, un torpe intento de seducción.

Mabel Fierz, que más tarde se convirtió en confidente de Blair, dijo: "Solía decir que lo único que deseaba en este mundo era haber sido atractivo para las mujeres. Le gustaban las mujeres y creo que tuvo muchas novias en Birmania. Tenía una chica en Southwold y otra en Londres. Era bastante mujeriego, pero temía no ser atractivo".

Brenda Salkield (Southwold) prefería la amistad a cualquier relación más profunda y mantuvo correspondencia con Blair durante muchos años, sobre todo como caja de resonancia de sus ideas. Escribió: "Era un gran escritor de cartas. Cartas interminables, y quiero decir que cuando te escribía una carta te escribía páginas". Su correspondencia con Eleanor Jacques (Londres) era más prosaica, insistiendo en una relación más estrecha y refiriéndose a citas pasadas o planeando otras futuras en Londres y Burnham Beeches.

Cuando Orwell estaba en el sanatorio de Kent, le visitó Lydia Jackson, amiga de su mujer. La invitó a dar un paseo y fuera de su vista "surgió una situación incómoda". Jackson iba a ser la más crítica con el matrimonio de Orwell con Eileen O'Shaughnessy, pero su correspondencia posterior insinúa una complicidad. Por aquel entonces, a Eileen le preocupaba más la cercanía de Orwell con Brenda Salkield. Orwell tuvo una aventura con su secretaria en *Tribune* que causó mucha angustia a Eileen, y se han barajado otras. En una carta a Ann Popham escribió: "A veces fui infiel a Eileen, y también la traté mal, y creo que ella también me trató mal a veces, pero era un matrimonio de verdad, en el sentido de que habíamos pasado juntos por luchas terribles y ella entendía todo sobre mi trabajo, etc.". Del mismo modo, sugirió a Celia Kirwan que ambos le habían sido infieles. Hay varios testimonios de que era un matrimonio bien avenido y feliz.

En junio de 1944, Orwell y Eileen adoptaron a un niño de tres semanas al que llamaron Richard Horatio. Según Richard, Orwell fue un padre maravilloso que le prestó una atención devota, aunque algo brusca, y un gran grado de libertad. Tras la muerte de Orwell, Richard se fue a vivir con la hermana de Orwell y su marido.

Blair se sentía muy solo tras la muerte de Eileen en 1945, y desesperado por tener una esposa, tanto como compañera para él como madre para Richard. Propuso matrimonio a cuatro mujeres, entre ellas Celia Kirwan, y finalmente Sonia Brownell aceptó. Orwell la había conocido cuando era ayudante de Cyril Connolly, en la revista literaria *Horizon*. Se casaron el 13 de octubre de 1949, sólo tres meses antes de la muerte de Orwell. Algunos sostienen que Sonia fue el modelo de Julia en *Diecinueve Ochenta y Cuatro*.

**Interacciones sociales**

Orwell se caracterizaba por tener amistades muy estrechas y duraderas con unos pocos amigos, pero por lo general se trataba de personas con una formación similar o con un nivel similar de capacidad literaria. Poco gregario, estaba fuera de lugar en una multitud y su incomodidad se exacerbaba cuando se encontraba fuera de su propia clase. Aunque se representaba a sí mismo como portavoz del hombre común, a menudo parecía fuera de lugar entre la gente trabajadora de verdad. Su cuñado Humphrey Dakin, un tipo del tipo "Hail fellow, well met", que le llevó a un pub local de Leeds, cuenta que el propietario le dijo: "No vuelvas a traer a ese cabrón por aquí". Adrian Fierz comentó: "No le interesaban ni las carreras, ni los galgos, ni ir de bares, ni los shove ha'penny. Simplemente no tenía mucho en común con la gente que no compartía sus intereses intelectuales". Muchos de sus encuentros con representantes de la clase trabajadora, como con Pollitt y McNair, fueron incómodos, pero su cortesía y buenos modales fueron comentados a menudo. Jack Common observó al conocerle por primera vez: "Enseguida se le notaron los modales, y más que los modales, la educación".

En su época de vagabundo, realizó trabajos domésticos durante un tiempo. Su extrema cortesía fue recordada por un miembro de la familia para la que trabajó; ella declaró que la familia se refería a él como "Laurel", por el cómico de cine. Con su figura desgarbada y su torpeza, los amigos de Orwell le veían a menudo como una figura divertida. Geoffrey Gorer comentó: "Era muy propenso a tirar cosas de las mesas y a tropezar con ellas. Era un joven desgarbado, mal coordinado físicamente. Creo que tenía la sensación de que incluso el mundo inanimado estaba en su contra". Cuando compartía piso con Heppenstall y Sayer, los jóvenes le trataban con condescendencia. En la BBC, en la década de 1940, "todo el mundo le tomaba el pelo" y Spender lo describió como alguien que tenía un verdadero valor de entretenimiento "como, por ejemplo, ver una película de Charlie Chaplin". Una amiga de Eileen recordaba su tolerancia y humor, a menudo a costa de Orwell.

Una biografía de Orwell le acusa de haber tenido una vena autoritaria. En Birmania, golpeó a un muchacho birmano que, mientras "tonteaba" con sus amigos, se había "tropezado accidentalmente con él" en una estación, lo que provocó que Orwell cayera "pesadamente" por unas escaleras. Uno de sus antiguos alumnos recordaba haber recibido una paliza tan fuerte que no pudo sentarse durante una semana. Cuando compartía piso con Orwell, Heppenstall llegó una noche tarde a casa en un avanzado estado de embriaguez. El resultado fue que Heppenstall acabó con la nariz ensangrentada y encerrado en una habitación. Cuando se quejó, Orwell le golpeó en las piernas con un palo de tiro y Heppenstall tuvo que defenderse con una silla. Años después, tras la muerte de Orwell, Heppenstall escribió un dramático relato del incidente titulado "El palo de tiro" y Mabel Fierz confirmó que Heppenstall acudió a ella en un estado lamentable al día siguiente.

Orwell se llevaba bien con los jóvenes. El alumno al que pegaba le consideraba el mejor de los maestros y los jóvenes reclutas de Barcelona intentaban beber con él por debajo de la mesa sin éxito. Su sobrino recordaba al tío Eric riendo más fuerte que nadie en el cine en una película de Charlie Chaplin.

A raíz de sus obras más famosas, atrajo a muchos seguidores acríticos, pero muchos otros que le buscaban le encontraban distante e incluso aburrido. Con su voz suave, a veces le gritaban o le excluían de los debates. En esa época, estaba gravemente enfermo; eran tiempos de guerra o el periodo de austeridad posterior; durante la guerra, su mujer sufrió una depresión y, tras su muerte, se sintió solo e infeliz. Además, siempre vivió con frugalidad y parecía incapaz de cuidar de sí mismo adecuadamente. Como consecuencia de todo ello, la gente encontraba sus circunstancias sombrías. Algunos, como Michael Ayrton, le llamaban "Gloomy George", pero otros desarrollaron la idea de que era un "santo laico inglés".

Aunque a Orwell se le escuchaba con frecuencia en la BBC en tertulias y emisiones unipersonales, no se conoce ninguna copia grabada de su voz.

## Estilo de vida

Orwell era un fumador empedernido, que liaba sus propios cigarrillos a partir de un fuerte tabaco de liar, a pesar de su afección bronquial. Su afición por la vida dura le llevó a menudo a situaciones de frío y humedad, tanto a largo plazo, como en Cataluña y Jura, como a corto plazo, por ejemplo, montando en moto bajo la lluvia y sufriendo un naufragio. Descrito por *The Economist* como "tal vez el mejor cronista de la cultura inglesa del siglo XX", Orwell consideraba el fish and chips, el fútbol, el pub, el té fuerte, el chocolate a precio reducido, el cine y la radio entre las principales comodidades de la clase trabajadora. Abogaba por una defensa patriótica de un modo de vida británico que no podía confiarse a los intelectuales ni, por implicación, al Estado:

"Somos una nación de amantes de las flores, pero también de coleccionistas de sellos, aficionados a las palomas, carpinteros amateurs, ladrones de cupones, jugadores de dardos y aficionados a los crucigramas. Toda la cultura verdaderamente autóctona gira en torno a cosas que, aun siendo comunitarias, no son oficiales: el pub, el partido de fútbol, el jardín, la chimenea y la "buena taza de té". Se sigue creyendo en la libertad del individuo, casi como en el siglo XIX. Pero esto no tiene nada que ver con la libertad económica, el derecho a explotar a otros para obtener beneficios. Es la libertad de tener tu propia casa, de hacer lo que quieras en tu tiempo libre, de elegir tus propias diversiones en lugar de que te las elijan desde arriba".

A Orwell le gustaba el té fuerte: en Cataluña le llevaban té de Fortnum & Mason. Su ensayo de 1946, "A Nice Cup of Tea" (Una buena taza de té), apareció en un artículo del *London Evening Standard* sobre cómo preparar el té, en el que Orwell escribía: "el té es uno de los pilares de la civilización en este país y provoca violentas disputas sobre cómo debe prepararse", siendo la cuestión principal si se debe poner primero el té en la taza y añadir después la leche, o al revés, sobre lo que afirma: "en todas las familias de Gran Bretaña hay probablemente dos escuelas de pensamiento al respecto". Apreciaba la cerveza inglesa, tomada con regularidad y moderación, despreciaba a los bebedores de cerveza rubia, y escribió sobre un pub británico imaginario e ideal en su artículo de 1946 en *el Evening Standard*, "La luna bajo el agua". No tan exigente con la comida, disfrutaba con el "Victory Pie" en tiempos de guerra y ensalzaba la comida de cantina en la BBC. Prefería los platos tradicionales ingleses, como el rosbif y los arenques. Su ensayo de 1945, "En defensa de la cocina inglesa", incluía el pudin de Yorkshire, los crumpets, los muffins, innumerables galletas, el pudin de Navidad, el shortbread, varios quesos británicos y la mermelada Oxford. Los relatos de sus días en Islington hacen referencia a la acogedora mesa del té de la tarde.

Su forma de vestir era imprevisible y normalmente informal. En Southwold, tenía la mejor ropa del sastre local, pero era igualmente feliz con su atuendo de vagabundo. Su atuendo en la Guerra Civil española, junto con sus botas de la talla 12, fue una fuente de diversión. David Astor describió su aspecto como el de un maestro de escuela preparatoria, mientras que, según el expediente de la División Especial, la tendencia de Orwell a vestir "a la moda bohemia" revelaba que el autor era "comunista".

La confusa actitud de Orwell ante las cuestiones de decoro social -por un lado, esperar que un invitado de clase trabajadora se vista para cenar y, por otro, sorber té de un plato en la cantina de la BBC- contribuyó a alimentar su reputación de excéntrico inglés.

# Vistas

### Religión

Orwell era ateo y se identificaba con la concepción humanista de la vida. A pesar de ello, y a pesar de sus críticas tanto a la doctrina religiosa como a las organizaciones religiosas, participaba regularmente en la vida social y cívica de la iglesia, incluso asistiendo a la Santa Cena de la Iglesia de Inglaterra. Reconociendo esta contradicción, dijo una vez: "Parece bastante mezquino ir a la HC [Santa Comunión] cuando uno no cree, pero me he hecho pasar por piadoso & no hay más remedio que seguir con el engaño". Tuvo dos matrimonios anglicanos y dejó instrucciones para un funeral anglicano. Orwell también era un gran conocedor de la literatura bíblica y podía citar de memoria largos pasajes del Libro de Oración Común.

Su amplio conocimiento de la Biblia vino acompañado de una crítica implacable de su filosofía, y de adulto no podía creer en sus principios. En la parte V de su ensayo, "Tales, tales eran las alegrías", dijo que "hasta cerca de los catorce años creía en Dios, y creía que los relatos que se hacían de él eran ciertos. Pero era muy consciente de que no le amaba". Orwell contrastó directamente el cristianismo con el humanismo secular en su ensayo

"Lear, Tolstoi y el tonto", encontrando esta última filosofía más apetecible y menos "interesada". El crítico literario James Wood escribió que en la lucha, tal como él la veía, entre cristianismo y humanismo, "Orwell estaba en el lado humanista, por supuesto -básicamente una versión inglesa, no metafísica, de la filosofía de Camus de perpetua lucha sin Dios".

Los escritos de Orwell eran a menudo explícitamente críticos con la religión, y con el cristianismo en particular. Consideraba que la Iglesia era una "iglesia egoísta [...] de la alta burguesía terrateniente", cuya clase dirigente estaba "desconectada" de la mayoría de sus fieles y que, en conjunto, ejercía una influencia perniciosa en la vida pública. En su estudio de 1972, *The Unknown Orwell*, los escritores Peter Stansky y William Abrahams señalaron que en Eton Blair mostraba una "actitud escéptica" hacia las creencias cristianas. Crick observó que Orwell mostraba "un pronunciado anticatolicismo". Evelyn Waugh, escribiendo en 1946, reconocía el alto sentido moral de Orwell y su respeto por la justicia, pero creía que "parece no haber sido tocado en ningún momento por una concepción del pensamiento y la vida religiosos". Sus opiniones contradictorias y a veces ambiguas sobre los beneficios sociales de la afiliación religiosa reflejaban las dicotomías entre su vida pública y privada: Stephen Ingle escribió que era como si el escritor George Orwell "alardeara" de su incredulidad, mientras que Eric Blair como individuo conservaba "una religiosidad profundamente arraigada".

## Política

A Orwell le gustaba provocar discusiones desafiando el statu quo, pero también era un tradicionalista enamorado de los viejos valores ingleses. Criticó y satirizó, desde dentro, los diversos medios sociales en los que se encontraba: la vida en un pueblo de provincias en *La hija del clérigo*; las pretensiones de la clase media en *Mantén la aspidistra en vuelo*; las escuelas preparatorias en Tales, tales eran las alegrías; y algunos grupos socialistas en *El camino a Wigan Pier*. En sus tiempos de *Adelphi*, se describía a sí mismo como "tory-anarquista". Del colonialismo en *Burmese Days*, retrata a los colonos ingleses como "gente aburrida y decente, que acaricia y fortifica su torpeza tras un cuarto de millón de bayonetas".

En 1928, Orwell comenzó su carrera como escritor profesional en París, en una revista propiedad del comunista francés Henri Barbusse. Su primer artículo, "La Censure en Angleterre" ("La censura en Inglaterra"), era un intento de explicar la "extraordinaria e ilógica" censura moral de obras de teatro y novelas que se practicaba entonces en Gran Bretaña. Su propia explicación era que el ascenso de la "clase media puritana", que tenía una moral más estricta que la aristocracia, endureció las normas de censura en el siglo XIX. El primer artículo publicado por Orwell en su país natal, "A Farthing Newspaper", era una crítica del nuevo diario francés el *Ami du Peuple*. Este periódico se vendía mucho más barato que la mayoría de los demás y estaba destinado a ser leído por la gente corriente. Orwell señaló que su propietario, François Coty, también era dueño de los diarios derechistas *Le Figaro* y *Le Gaulois,* contra los que supuestamente competía el Ami du Peuple. Orwell sugirió que los periódicos baratos no eran más que un vehículo para la publicidad y la propaganda antiizquierdista, y predijo que el mundo pronto vería periódicos gratuitos que expulsarían del negocio a los diarios legítimos.

Escribiendo para *Le Progrès Civique*, Orwell describió el gobierno colonial británico en Birmania y la India:

"El gobierno de todas las provincias indias bajo el control del Imperio Británico es necesariamente despótico, porque sólo la amenaza de la fuerza puede someter a una población de varios millones de súbditos. Pero este despotismo es latente. Se esconde tras una máscara de democracia... Se procura evitar la formación técnica e industrial. Esta regla, observada en toda la India, tiene por objeto impedir que la India se convierta en un país industrial capaz de competir con Inglaterra... Se impide la competencia extranjera mediante una barrera insuperable de aranceles aduaneros prohibitivos. Así, los propietarios de fábricas inglesas, sin nada que temer, controlan absolutamente los mercados y cosechan beneficios exorbitantes."

## Guerra Civil española y socialismo

La Guerra Civil española desempeñó el papel más importante en la definición del socialismo de Orwell. Escribió a Cyril Connolly desde Barcelona el 8 de junio de 1937: "He visto cosas maravillosas y por fin creo de verdad en el socialismo, cosa que nunca había hecho". Habiendo sido testigo de comunidades anarcosindicalistas, por ejemplo en la Cataluña anarquista, y de la posterior brutal represión de los anarcosindicalistas, los partidos comunistas anti-Stalin y los revolucionarios por parte de los comunistas apoyados por la Unión Soviética, Orwell regresó de Cataluña convertido en un firme anti-Stalinista y se afilió al Partido Laborista Independiente británico, emitiéndose su carnet el 13 de junio de 1938.

En la segunda parte de *The Road to Wigan Pier*, publicada por el Left Book Club, Orwell afirmaba que "un verdadero socialista es aquel que desea -no sólo lo concibe como deseable, sino que desea activamente- ver derrocada la tiranía". Orwell declaró en "Por qué escribo" (1946): "Cada línea de trabajo serio que he escrito desde 1936 ha sido escrita, directa o indirectamente, contra el totalitarismo y a favor del socialismo democrático, tal como yo lo entiendo". La concepción que Orwell tenía del socialismo era la de una economía planificada junto a la democracia, que era la noción común de socialismo a principios y mediados del siglo XX. El énfasis de Orwell en la "democracia" se refería principalmente a un fuerte énfasis en las libertades civiles dentro de una economía socialista en oposición al gobierno mayoritario, aunque no se oponía necesariamente al gobierno mayoritario. Orwell era partidario de una Europa federal socialista, una postura que expuso en su ensayo de 1947 "Hacia la unidad europea", que apareció por primera vez en *Partisan Review*. Según su biógrafo John Newsinger

"La otra dimensión crucial del socialismo de Orwell fue su reconocimiento de que la Unión Soviética no era socialista. A diferencia de muchos en la izquierda, en lugar de abandonar el socialismo una vez que descubrió todo el horror del régimen estalinista en la Unión Soviética, Orwell abandonó la Unión Soviética y, en cambio, siguió siendo socialista; de hecho, se comprometió más que nunca con la causa socialista."

En su ensayo de 1938 "Por qué me afilié al Partido Laborista Independiente", publicado en el *New Leader*, afiliado al ILP, Orwell escribió:

"Durante algunos años he conseguido que la clase capitalista me pague varias libras a la semana por escribir libros contra el capitalismo. Pero no me hago ilusiones de que esta situación vaya a durar para siempre... el único régimen que, a largo plazo, se atreverá a permitir la libertad de expresión es un régimen socialista. Si triunfa el fascismo estoy acabado como escritor, es decir, acabado en mi única capacidad efectiva. Esa sería una razón suficiente para unirme a un partido socialista".

Hacia el final del ensayo, escribió: "No quiero decir que haya perdido toda la fe en el Partido Laborista. Mi más ferviente esperanza es que el Partido Laborista obtenga una clara mayoría en las próximas elecciones generales".

En 1939, Orwell escribió que "Trotsky, en el exilio, denuncia la dictadura rusa, pero probablemente es tan responsable de ella como cualquier hombre que viva ahora, y no hay certeza de que como dictador fuera preferible a Stalin, aunque indudablemente tiene una mente mucho más interesante". En 1945, escribió que "El hecho de que los trotskistas sean en todas partes una minoría perseguida, y que la acusación que se les suele hacer, es decir, de colaborar con los fascistas, sea evidentemente falsa, crea la impresión de que el trotskismo es intelectual y moralmente superior al comunismo; pero es dudoso que haya mucha diferencia."

## La Segunda Guerra Mundial

Orwell se oponía al rearme contra la Alemania nazi y en el momento del Acuerdo de Munich firmó un manifiesto titulado "Si llega la guerra, resistiremos", pero cambió de opinión tras el Pacto Molotov-Ribbentrop y el estallido de la guerra. Abandonó el ILP por su oposición a la guerra y adoptó una posición política de "patriotismo revolucionario". El 21 de marzo de 1940 escribió una reseña de *Mein Kampf* de Adolf Hitler para *The New English Weekly, en la* que analizaba la psicología del dictador. Según Orwell, "una cosa que llama la atención es la rigidez de su mente, la forma en que su visión del mundo no se desarrolla. Es la visión fija de un monomaníaco y no es probable que se vea muy afectada por las maniobras temporales de la política del poder". Preguntándose "cómo fue capaz de transmitir [su] monstruosa visión", Orwell trató de entender por qué Hitler era adorado por el pueblo alemán: "La situación en Alemania, con sus siete millones de parados, era obviamente favorable para los demagogos. Pero Hitler no podría haber triunfado frente a sus muchos rivales si no hubiera sido por la atracción de su propia personalidad, que uno puede sentir incluso en la torpe redacción de *Mein Kampf*, y que sin duda es abrumadora cuando uno escucha sus discursos... El hecho es que hay algo profundamente atractivo en él. La causa inicial y personal de su agravio contra el universo sólo puede adivinarse; pero en cualquier caso el agravio está aquí. Es el mártir, la víctima, Prometeo encadenado a la roca, el héroe abnegado que lucha sin ayuda contra probabilidades imposibles. Si estuviera matando a un ratón sabría hacerlo parecer un dragón".

En diciembre de 1940 escribió en *Tribune* (el semanario de la izquierda laborista): "Estamos en un extraño periodo de la historia en el que un revolucionario tiene que ser un patriota y un patriota tiene que ser un revolucionario". Durante la guerra, Orwell fue muy crítico con la idea popular de que una alianza anglo-soviética sería la base de un mundo de paz y prosperidad en la posguerra. En 1942, comentando las opiniones pro-soviéticas del editor del London *Times* E. H. Carr, Orwell declaró que "todos los apaciguadores, por ejemplo el profesor E. H. Carr, han cambiado su lealtad de Hitler a Stalin".

En su respuesta (fechada el 15 de noviembre de 1943) a una invitación de la duquesa de Atholl para hablar en nombre de la Liga Británica por la Libertad Europea, declaró que no estaba de acuerdo con sus objetivos. Admitía que lo que decían era "más veraz que la propaganda mentirosa que se encuentra en la mayor parte de la prensa", pero añadía que no podía "asociarse a un organismo esencialmente conservador" que afirmaba "defender la democracia en Europa" pero que no tenía "nada que decir sobre el imperialismo británico". Su último párrafo decía: "Pertenezco a la izquierda y debo trabajar dentro de ella, por mucho que odie el totalitarismo ruso y su venenosa influencia en este país".

## Judíos, antisemitismo y sionismo

Su relación con los judíos ha sido un tema recurrente en diversas publicaciones. Se citan textos con un evidente sesgo antisemita, así como textos con un decidido rechazo del antisemitismo, de diferentes periodos de la carrera de Orwell, y sus comentarios sobre el creciente conflicto entre judíos y árabes en Palestina bajo el Mandato Británico.

Bajo el título "Orwell's evolving views on Jews", Raymond S. Solomon traza un arco desde el primer libro de Orwell *Down and Out in Paris and London* hasta *Nineteen Eighty-Four*. Anshel Pfeffer se pregunta "¿Era Orwell antisemita?" en el diario israelí *Haaretz*. Paul Seeliger, editor de la recopilación de textos de Orwell *On Jews and Antisemitism*, describe su relación con el antisemitismo y las cuestiones judías como "ambivalente".

Al escribir a principios de 1945 un largo ensayo titulado "Antisemitism in Britain" (Antisemitismo en Gran Bretaña), para el *Contemporary Jewish Record*, Orwell afirmó que el antisemitismo iba en aumento en Gran Bretaña y que era "irracional y no cederá ante los argumentos". Argumentaba que sería útil descubrir por qué los antisemitas podían "tragarse tales absurdos sobre un tema en particular mientras permanecían cuerdos sobre otros". Escribió: "Durante casi seis años los admiradores ingleses de Hitler se las arreglaron para no enterarse de la existencia de Dachau y Buchenwald. ... Muchos ingleses no han oído casi nada sobre el exterminio de judíos alemanes y polacos durante la presente guerra. Su propio antisemitismo ha hecho que este vasto crimen rebote en su conciencia". En *Nineteen Eighty-Four*, escrito poco después de la guerra, Orwell retrató al Partido alistando pasiones antisemitas contra su enemigo, Goldstein.

### *Tribuna* y posguerra británica

Orwell se incorporó a la plantilla de la revista *Tribune* como editor literario y, desde entonces hasta su muerte, fue un socialista democrático de izquierdas (aunque apenas ortodoxo) que apoyaba a los laboristas.

El 1 de septiembre de 1944, escribiendo sobre el levantamiento de Varsovia, Orwell expresó en *Tribune* su hostilidad contra la influencia de la alianza con la URSS sobre los aliados: "Recuerda que la deshonestidad y la cobardía siempre tienen que pagarse. No creas que durante años y años puedes convertirte en el propagandista lameculos del régimen soviético, o de cualquier otro régimen, y de repente volver a la honestidad y la razón. Una vez puta, siempre puta". Según Newsinger, aunque Orwell "siempre fue crítico con la moderación del gobierno laborista de 1945-51, su apoyo a éste empezó a arrastrarle políticamente hacia la derecha. Esto no le llevó a abrazar el conservadurismo, el imperialismo o la reacción, sino a defender, aunque críticamente, el reformismo laborista." Entre 1945 y 1947, colaboró con A. J. Ayer y Bertrand Russell en una serie de artículos y ensayos para *Polemic*, una efímera "Revista de Filosofía, Psicología y Estética" británica dirigida por el ex comunista Humphrey Slater.

Orwell defendió públicamente a P. G. Wodehouse de las acusaciones de simpatizar con los nazis -ocasionadas por su aceptación de realizar algunas emisiones por la radio alemana en 1941-, una defensa basada en el desinterés y la ignorancia de Wodehouse por la política.

Special Branch, la división de inteligencia de la Policía Metropolitana, mantuvo un expediente sobre Orwell durante más de 20 años de su vida. El expediente, publicado por The National Archives, afirma que, según un investigador, Orwell tenía "opiniones comunistas avanzadas y varios de sus amigos indios dicen que le han visto a menudo en reuniones comunistas". El MI5, el departamento de inteligencia del Ministerio del Interior, señaló: "De sus escritos recientes -'El león y el unicornio'- y de su contribución al simposio de Gollancz *La traición de la izquierda* se desprende que no comulga con el Partido Comunista ni ellos con él".

**Sexualidad**

La política sexual desempeña un papel importante en *Diecinueve Ochenta y Cuatro*. En la novela, las relaciones íntimas de la gente están estrictamente gobernadas por la Liga Junior Anti-Sexo del partido, oponiéndose a las relaciones sexuales y fomentando en su lugar la inseminación artificial. Personalmente, a Orwell no le gustaba lo que consideraba opiniones emancipadoras revolucionarias equivocadas de la clase media, y expresaba su desdén por "todos los bebedores de zumo de frutas, nudistas, portadores de sandalias, maníacos sexuales".

Orwell también estaba abiertamente en contra de la homosexualidad, en una época en la que estos prejuicios eran habituales. En su intervención en la Conferencia del Centenario de George Orwell de 2003, Daphne Patai dijo: "Por supuesto que era homófobo. Eso no tiene nada que ver con sus relaciones con sus amigos homosexuales. Ciertamente, tenía una actitud negativa y un cierto tipo de ansiedad, una actitud denigrante hacia la homosexualidad. No hay duda de ello. Creo que sus escritos lo reflejan plenamente".

Orwell utilizó los epítetos homófobos "nancy" y "pansy", por ejemplo, en expresiones de desprecio hacia lo que él llamaba la "izquierda pansy", y los "poetas nancy", es decir, escritores e intelectuales homosexuales o bisexuales de izquierdas como Stephen Spender y W. H.

Auden. El protagonista de *Keep the Aspidistra Flying*, Gordon Comstock, lleva a cabo una crítica interna de sus clientes cuando trabaja en una librería, y hay un extenso pasaje de varias páginas en el que se concentra en un cliente homosexual masculino, y se mofa de él por sus características "nancy", incluido un ceceo, que identifica en detalle, con cierto disgusto. Stephen Spender "pensaba que los ocasionales arrebatos homófobos de Orwell formaban parte de su rebelión contra la escuela pública".

## Biografías de Orwell

El testamento de Orwell pedía que no se escribiera ninguna biografía suya, y su viuda, Sonia Brownell, rechazó todos los intentos de quienes trataron de persuadirla para que les dejara escribir sobre él. En los años cincuenta y sesenta se publicaron diversos recuerdos e interpretaciones, pero Sonia consideró que las *Obras Completas* de 1968 eran el testimonio de su vida. Nombró biógrafo oficial a Malcolm Muggeridge, pero los biógrafos posteriores lo han considerado una malversación deliberada, ya que Muggeridge acabó renunciando al trabajo. En 1972, dos autores estadounidenses, Peter Stansky y William Abrahams, publicaron *The Unknown Orwell (El Orwell desconocido)*, un relato no autorizado de sus primeros años que no contó con el apoyo ni la contribución de Sonia Brownell.

Sonia Brownell encargó entonces una biografía a Bernard Crick, profesor de política de la Universidad de Londres, y pidió a los amigos de Orwell que colaboraran. Crick recopiló una cantidad considerable de material en su obra, que se publicó en 1980, pero su cuestionamiento de la exactitud fáctica de los escritos en primera persona de Orwell provocó un conflicto con Brownell, que intentó suprimir el libro. Crick se centró en los hechos de la vida de Orwell más que en su carácter, y presentó principalmente una perspectiva política de la vida y obra de Orwell.

Tras la muerte de Sonia Brownell, en la década de 1980 se publicaron otros trabajos sobre Orwell, en particular sobre 1984. Entre ellas, las recopilaciones de reminiscencias de Audrey Coppard y Crick y Stephen Wadhams.

En 1991, Michael Shelden, profesor de literatura estadounidense, publicó una biografía. Más preocupado por la naturaleza literaria de la obra de Orwell, buscó explicaciones sobre el carácter de Orwell y trató sus escritos en primera persona como autobiográficos. Shelden introdujo nuevos datos que trataban de ampliar la obra de Crick. Shelden especuló que Orwell poseía una creencia obsesiva en su fracaso e insuficiencia.

La publicación por Peter Davison de las *Obras Completas de George Orwell*, finalizada en 2000, hizo accesible al público la mayor parte del Archivo Orwell. Jeffrey Meyers, un prolífico biógrafo estadounidense, fue el primero en aprovecharlo y publicó en 2001 un libro que investigaba el lado más oscuro de Orwell y cuestionaba su imagen de santo. *Why Orwell Matters* (editado en el Reino Unido como *Orwell's Victory*) fue publicado por Christopher Hitchens en 2002.

En 2003, el centenario del nacimiento de Orwell dio lugar a las biografías de Gordon Bowker y D. J. Taylor, ambos académicos y escritores del Reino Unido. Taylor señala la escenificación que rodea gran parte del comportamiento de Orwell y Bowker destaca el esencial sentido de la decencia que, en su opinión, fue la principal motivación de Orwell. En 2023 se ha publicado una edición actualizada de la biografía de Taylor titulada *Orwell: The New Life*, publicada por Constable.

En 2018, Ronald Binns publicó el primer estudio detallado de los años de Orwell en Suffolk, *Orwell in Southwold*. En 2020, el profesor Richard Bradford escribió una nueva biografía, titulada *Orwell: A Man of Our Time,* mientras que en 2021 Rebecca Solnit reflexionó sobre lo que la jardinería pudo significar para Orwell y lo que significa para los jardineros de todo el mundo, en su libro *Orwell's Roses*.

Se han publicado dos libros sobre la relación de Orwell con su primera esposa, Eileen O'Shaughnessy, y el papel de ésta en su vida y su carrera: *Eileen: The Making of George Orwell* de Sylvia Topp (2020) y *Wifedom: Mrs Orwell's Invisible Life de* Anna Funder (2023).

Según Blake Morrison, después de *Orwell* 2023 de DJ Taylor*: The New Life* "no se necesitarán más biografías en un futuro previsible, aunque parece que uno o incluso dos de los diarios de Orwell reposan en un archivo de Moscú".

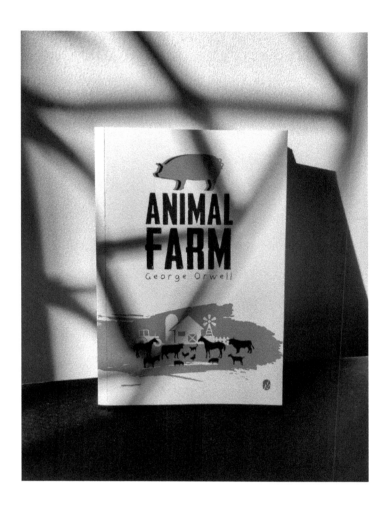

# Bibliografía

**Novelas**

- 1934 - *Días birmanos*
- 1935 - La *hija de un clérigo*
- 1936 - *Mantener en vuelo la Aspidistra*
- 1939 - Salir *a respirar*
- 1945 - Rebelión *en la granja*
- 1949 - *Mil novecientos ochenta y cuatro*

**No ficción**

- 1933 - *Abajo y fuera en París y Londres*
- 1937 - *El camino a Wigan Pier*
- 1938 - *Homenaje a Cataluña*

# Otros libros de United Library

https://campsite.bio/unitedlibrary

Milton Keynes UK
Ingram Content Group UK Ltd.
UKHW020749100124
435791UK00016B/478